Lições sobre os
7 conceitos cruciais
da psicanálise

Transmissão da Psicanálise
diretor: Marco Antonio Coutinho Jorge

J.-D. Nasio

Lições sobre os 7 conceitos cruciais da psicanálise

Tradução:
Vera Ribeiro
psicanalista

16ª reimpressão

À memória de
Françoise Dolto

Copyright © 1988 by Éditions Rivages

Tradução autorizada da primeira edição francesa revista pelo autor, publicada em 1988 por Éditions Rivages, de Paris, França, na coleção Rivages-Psychanalyse, dirigida por J.-D. Nasio

Grafia atualizada segundo o Acordo Ortográfico da Língua Portuguesa de 1990, que entrou em vigor no Brasil em 2009.

Título original
Enseignement de 7 concepts cruciaux de la psychanalyse

Capa
Sérgio Campante

Revisão
Maria Helena Torres
Eduardo Farias

CIP-Brasil. Catalogação na publicação
Sindicato Nacional dos Editores de Livros, RJ

N211L
Nasio, Juan-David
Lições sobre os 7 conceitos cruciais da psicanálise / Juan-David Nasio; tradução Vera Ribeiro. – 1ª ed. – Rio de Janeiro: Zahar, 1997.

(Transmissão da Psicanálise)

Tradução de: Enseignement de 7 concepts cruciaux de la psychanalyse.
Inclui bibliografia e índice
ISBN 978-85-7110-088-6

1. Psicanálise I. Título. II. Série.

CDD: 616.8917
CDU: 159.964.2

97-1695

[2022]
Todos os direitos desta edição reservados à
EDITORA SCHWARCZ S.A.
Praça Floriano, 19, sala 3001 — Cinelândia
20031-050 — Rio de Janeiro — RJ
Telefone: (21) 3993-7510
www.companhiadasletras.com.br
www.blogdacompanhia.com.br
facebook.com/editorazahar
instagram.com/editorazahar
twitter.com/editorazahar

Sumário

Apresentação
Como definir um conceito psicanalítico, LILIANE ZOLTY 9

1. O CONCEITO DE CASTRAÇÃO 11

O conceito de castração   13

Citações das obras de S. Freud sobre a castração   26

Seleção bibliográfica sobre a castração   33

2. O CONCEITO DE FALO 35

O conceito de falo   37

Citações das obras de S. Freud e J. Lacan sobre o falo   44

Seleção bibliográfica sobre o falo   48

3. O CONCEITO DE NARCISISMO 49

O conceito de narcisismo, S. LE POULICHET   51

Citações das obras de S. Freud e J. Lacan sobre o narcisismo   75

Seleção bibliográfica sobre o narcisismo   80

4. O CONCEITO DE SUBLIMAÇÃO 83

O conceito de sublimação   85

Citações das obras de S. Freud e J. Lacan sobre a sublimação   101

Seleção bibliográfica sobre a sublimação   106

5. O CONCEITO DE IDENTIFICAÇÃO 109

O conceito de identificação 111

Citações das obras de S. Freud e J. Lacan sobre a identificação 139

Seleção bibliográfica sobre a identificação 144

6. O CONCEITO DE SUPEREU 147

O conceito de supereu 149

Citações das obras de S. Freud e J. Lacan sobre o supereu 162

Seleção bibliográfica sobre o supereu 167

7. O CONCEITO DE FORACLUSÃO 171

O conceito de foraclusão 173

Citações das obras de S. Freud e J. Lacan sobre a foraclusão 189

Seleção bibliográfica sobre a foraclusão 193

Notas bibliográficas 195

Índice geral 201

Os fundamentos da psicanálise que nossos mestres nos transmitiram só serão fundamentos sob a condição de os conquistarmos e torná-los nossos.

Talvez tenhamos então a oportunidade, por nossa vez, de transmiti-los aos psicanalistas das gerações vindouras.

A. Franzini, M. Gaugain,
S. Le Poulichet, Ch. Oddoux,
Ch. Sarfati e L. Zolty
estão para mim estreitamente
associados à existência desta obra.

Apresentação
Como definir um conceito psicanalítico

LILIANE ZOLTY

Sabemos como, desde a obra de Freud, os conceitos psicanalíticos têm resistido às definições demasiadamente estritas e têm sido carregados de significações múltiplas e até contraditórias. Como, então, encontrar para cada um desses conceitos sua significação mais exata? O desenvolvimento da psicanálise, a diversidade das correntes teóricas e a vulgarização do vocabulário psicanalítico tornaram impossível a determinação de um sentido unívoco para cada conceito. Conforme as palavras que o exprimem, a perspectiva que o situa e o artifício de sua exposição, o conceito muda e se diversifica. O sentido conceitual é sempre determinado pela articulação do conceito com o conjunto da trama teórica, pela experiência da prática, pelas palavras que o enunciam, e até pelo lugar que o referido conceito ocupa, numa dada época, na linguagem da comunidade dos psicanalistas. Por isso, um conceito psicanalítico recebe tantos sentidos quantas são suas pertenças a contextos diferentes; essa é a razão de podermos afirmar que, em psicanálise, toda significação conceitual é, definitivamente, uma significação contextual.

Contudo, essa falta de uma significação unívoca atribuível a uma noção não prejudica, como poderíamos temer, a coerência de nossa teoria. O rigor não nos exige a supressão de todo e qualquer conceito ambíguo, mas exige que se encontre, dentre as diversas significações contextuais, a significação principal. Como, então, avaliar e escolher o sentido conceitual mais preciso? Alguns autores escolhem o sentido histórico, reconstruído segundo as grandes etapas da evolução de uma noção. J.-D. Nasio, em contrapartida, sem descartar a pertinência dessa escolha cronológica, teve neste livro uma preocupação diferente. Para abarcar a significação principal, perguntou-se, primeiro e acima de tudo, se a existência de um conceito era ou não necessária. De fato, um verdadeiro conceito sempre nasce em virtude de uma necessidade própria da trama conceitual de que faz parte, e, por conseguinte, se nos atemos a conhecer sua significação principal, cabe buscarmos sua *significação umbilical*. Para encontrar o sentido mais exato de um conceito, prender-nos-emos a responder à pergunta sobre a necessidade de sua origem, de sua razão de ser, e investigaremos por que e como ele se firmou no solo da teoria. Por isso, a articulação essencial de cada um dos conceitos estudados neste livro surge da resposta a esta interrogação constante de J.-D. Nasio: qual é a razão de ser de cada conceito psicanalítico? Qual é o desafio teórico que torna necessária sua existência? De que problema ele constitui a solução?

O leitor atento descobrirá, no correr de sua leitura, as ramificações múltiplas de um conceito, vendo-se cada um dos sete conceitos ser progressivamente esclarecido por outro. Participará da edificação metapsicológica básica da psicanálise e – eis aí um mérito importante da obra – será sensível ao alcance clínico dos textos aqui propostos.

1. O conceito de castração

O conceito de castração

Em psicanálise, o conceito de "castração" não corresponde à acepção habitual de mutilação dos órgãos sexuais masculinos, mas designa uma experiência psíquica completa, *inconscientemente* vivida pela criança por volta dos cinco anos de idade, e decisiva para a assunção de sua futura identidade sexual. O aspecto essencial dessa experiência consiste no fato de que, pela primeira vez, a criança reconhece, ao preço da angústia, a diferença anatômica entre os sexos. Até ali, ela vivia na ilusão da onipotência; dali por diante, com a experiência da castração, terá de aceitar que o universo seja composto de homens e mulheres e que o corpo tenha limites, ou seja, aceitar que seu pênis de menino jamais lhe permitirá concretizar seus intensos desejos sexuais em relação à mãe.

Mas o complexo de castração, que apresentaremos como uma etapa na evolução da sexualidade infantil, não se reduz a um simples momento cronológico. Ao contrário, a experiência inconsciente da castração é incessantemente renovada ao longo de toda a existência e particularmente recolocada em jogo na cura analítica do paciente adulto. Um dos objetivos da experiência analítica é, com efeito, possibilitar e reativar na vida adulta a experiência que atravessamos na infância: admitir com dor que os limites do corpo são mais estreitos do que os limites do desejo.

O COMPLEXO DE CASTRAÇÃO NO MENINO

> *Entre o amor narcísico pelo pênis e o amor incestuoso pela mãe, o menino escolhe o pênis.*

Freud descobriu, por ocasião de seu trabalho com um menino de cinco anos, o "Pequeno Hans",[1] aquilo a que chamaria *complexo de castração*. Foi através da análise desse garotinho, mas também apoiando-se nas lembranças da infância de seus pacientes adultos, que Freud destacou esse complexo, descrito pela primeira vez em 1908.[2] Podemos esquematizar em quatro tempos a constituição do complexo de castração masculino.

Primeiro tempo: todo mundo tem um pênis[3]

Só podemos compreender o que realmente está em jogo na castração a partir dessa ficção do menino, segundo a qual todos possuiriam um pênis semelhante ao seu. Trata-se do momento preliminar das crenças infantis de que não haveria diferença anatômica entre os órgãos sexuais masculinos e femininos. Essa crença, constatada por Freud em todas as crianças, meninas e meninos, constitui a precondição obrigatória do processo de castração. A descoberta da realidade de um ser próximo que não possui esse atributo supostamente universal – mãe, irmãzinha etc. – faz fracassar a crença da criança e abre o caminho para a angústia de um dia ficar, ela própria, similarmente despossuída. Já que pelo menos um ser revelou-se desprovido do pênis, pensa o menininho, a posse de meu próprio pênis, doravante, já não está garantida. Repetindo, portanto, a precondição da experiência psíquica da castração é essa ficção da posse universal do pênis.

Segundo tempo: o pênis é ameaçado

Essa é a época das ameaças verbais que visam a proibir à criança suas práticas autoeróticas e obrigá-la a renunciar a suas fantasias incestuosas. Explicitamente, essas ameaças colocam a criança em guarda contra a perda de seu membro, caso venha a perseverar em suas apalpações, mas a meta implícita das advertências parentais é tirar do menino toda e qualquer esperança de um dia tomar o lugar do pai na relação com a mãe. A ameaça de castração visa ao pênis, mas seus efeitos incidem sobre a *fantasia* do menino de um dia possuir seu objeto amado, a mãe. A isso, portanto, ele deverá renunciar. As admoestações verbais, em particular as proferidas pelo pai, progressivamente internalizadas pela criança, estarão na origem do supereu.* Convém ainda esclarecermos que as advertências parentais só terão influência na criança uma vez atravessada a etapa seguinte, a do terceiro tempo.

Terceiro tempo: existem seres sem pênis e, portanto, a ameaça é bastante real

Esse é o tempo da descoberta *visual* da região genital feminina. Nesse estágio, a região genital feminina que se oferece aos olhos da criança não é o órgão sexual feminino, mas, antes, a zona pubiana do corpo da mulher. O que a criança descobre visualmente não é a vagina, mas a falta do pênis. De início, o menino não parece ter nenhum interesse por essa falta, mas a lembrança das ameaças

---

* Para traduzir os termos *Es, Ich* e *Überich* introduzidos por Freud em sua segunda tópica, convencionamos utilizar duas séries terminológicas consagradas por usos distintos: id, ego e superego, quando se tratar de citação do texto do próprio Freud; isso, eu e supereu quando for o caso de citação de texto de Lacan ou do próprio autor, cuja orientação é lacaniana. (N.R.)

verbais ouvidas durante o segundo tempo vem então conferir sua significação plena à percepção visual de um perigo até ali negligenciado. "Um belo dia, dá-se que o menino, orgulhoso de sua posse de um pênis, tem diante de seus olhos a região genital de uma menina e é forçado a se convencer da falta do pênis num ser tão parecido com ele. A partir desse fato, a perda de seu próprio pênis torna-se também uma coisa passível de ser representada, e a ameaça de castração consegue fazer efeito *só depois*"[4]. Dado o apego afetivo narcísico que ele tem pelo pênis, o menino não pode admitir que existam seres à sua semelhança que dele sejam desprovidos. Por isso é que, quando da primeira percepção visual da zona genital da menina, seu preconceito tenaz – a crença em que é impossível ver seres humanos sem pênis – resiste intensamente à evidência. O valor afetivo que ele atribui a seu corpo é tão intenso que ele não pode imaginar para si uma pessoa parecida com ele que não tenha esse elemento primordial; prefere defender a ficção que forjou para si mesmo, em detrimento da realidade percebida da falta. Em vez de reconhecer a ausência radical de pênis na mulher, a criança teima em lhe atribuir um órgão peniano, suprindo-o com um comentário: "A menina tem um pênis que ainda é pequenino, mas ele vai crescer."

Quarto tempo: a mãe também é castrada;
emergência da angústia

A despeito da percepção visual do corpo da menina, o menino continua a preservar sua crença em que as mulheres mais velhas e respeitáveis, como sua mãe, são dotadas de um pênis. Mais tarde, ao descobrir que as mulheres podem dar à luz, o menino se apercebe de que também sua mãe é desprovida do pênis. É nesse momento que surge realmente a angústia de castração. Ver um corpo feminino abre caminho para a angústia da perda do órgão peniano, mas ainda não se trata da angústia de castração propriamente dita. Para que o complexo de castração se organize efetivamente, ou seja, para que a ameaça significada pela visão das partes genitais femininas seja sinal de um perigo, vimos que é necessária a intervenção de um outro fator. A percepção do corpo da mulher desperta no menino a lembrança de ameaças verbais – reais ou imaginárias – anteriormente proferidas pelos pais e visando a interditar o prazer que ele extraía da excitabilidade de seu pênis. A *visão* da ausência do pênis na mulher, de um lado, e a evocação *auditiva* das ameaças verbais parentais, de outro, definem as duas condições principais do complexo de castração.

A *angústia de castração,* convém esclarecer, não é efetivamente sentida pelo menino, pois *é inconsciente.* Essa angústia não deve ser confundida com a angústia que observamos nas crianças sob a forma de medos, pesadelos etc. Esses distúrbios não passam de manifestações de defesas contra o caráter intolerável da angústia inconsciente. Uma angústia vivenciada pode ser, por exemplo, uma defesa contra essa outra angústia, não vivenciada e inconsciente, a que chamamos angústia de castração.

Tempo final: término do complexo de castração e término do complexo de Édipo

É sob o efeito da irrupção da angústia de castração que o menino aceita a lei da proibição e opta por salvar seu pênis, mesmo tendo de renunciar à mãe como parceira sexual. Com a renúncia à mãe e o reconhecimento da lei paterna encerra-se a fase do amor edipiano; torna-se então possível a afirmação da identidade masculina. A crise que o menino teve que atravessar foi fecunda e estruturante, já que ele se tornou capaz de assumir sua falta e produzir seu próprio limite. Dito de outra maneira, o término do complexo de castração é também, para o menino, o término do complexo de Édipo. Convém notarmos que o desaparecimento do complexo de castração é particularmente violento e definitivo. Eis as palavras de Freud: "No menino, o complexo [de Édipo] não é simplesmente recalcado, mas desfaz-se literalmente em pedaços sob o impacto da ameaça de castração ...; nos casos ideais, não mais subsiste sequer no inconsciente."[5]

O COMPLEXO DE CASTRAÇÃO NA MENINA

O complexo de castração feminino organiza-se de maneira muito diferente do complexo de castração masculino, a despeito de dois traços comuns. O ponto de partida de ambos, a princípio, é semelhante; num primeiro tempo, que identificaremos como prévio ao complexo de castração, os meninos e as meninas sustentam, indistintamente, a ficção que atribui um pênis a todos os seres humanos. A crença na universalidade do pênis é, portanto, a precondição necessária à constituição do complexo de Édipo em ambos os sexos.

O segundo traço comum refere-se à importância do papel da mãe. À parte todas as variações da experiência masculina e feminina da castração, a mãe continua a ser o personagem principal até o momento em que o menino se separa dela com angústia, e a menina, com ódio. Quer seja marcado pela angústia ou marcado pelo ódio, o acontecimento principal do complexo de castração é, sem sombra de dúvida, a separação entre a criança e a mãe, no exato momento em que a primeira a descobre castrada.

Afora esses dois traços comuns – a universalidade do pênis e a separação da mãe castrada –, a castração feminina, que estruturamos em quatro tempos, segue um movimento totalmente diverso da do menino.

Indiquemos desde já duas diferenças importantes entre a castração masculina e feminina:

- No menino, o complexo de castração se encerra numa renúncia ao amor pela mãe, ao passo que, na menina, ele abre caminho para o amor edipiano pelo pai. "Enquanto o complexo de Édipo do menino naufraga sob o efeito do complexo de castração, o da menina é possibilitado e introduzido pelo complexo de castração."[6] O Édipo do menino nasce e se encerra com a castração. O Édipo da menina nasce mas não termina com a castração.
- O principal acontecimento do complexo de castração feminino é, como já assinalamos, a separação da mãe, porém com a particularidade de ser a repetição de outra separação mais antiga. O apego primeiríssimo – desde a origem da vida – da menina pela mãe interrompe-se com a perda do seio materno. Segundo Freud, uma vez que a mulher nunca se consola com tal separação, ela traz em si a marca do ressentimento de ter sido deixada na insatisfação. Esse ressentimento primitivo, esse ódio antigo desaparece sob o efeito de um recalcamento inexorável, para depois reaparecer, por ocasião do complexo de castração, no momento desse acontecimento fundamental que é a separação entre a menina e a mãe. O ódio de outrora ressurge então na filha, dessa vez sob a forma de hostilidade e rancor em relação a uma mãe que ela responsabiliza por tê-la feito menina. A atualização dos antigos sentimentos negativos a respeito da mãe assinala o fim do complexo de castração. Insistimos em dizer que o papel da mãe, ao contrário da opinião comum, é muito mais importante na vida sexual da menina que o do pai; a mãe está na origem e no término do complexo de castração feminino.

Primeiro tempo: todo mundo tem um pênis
(o clitóris é um pênis)

Nesse primeiro tempo, a menina ignora a diferença entre os sexos e a existência de seu próprio órgão sexual, isto é, a vagina. Está perfeitamente feliz por possuir, como todo o mundo, um atributo clitoridiano, que ela assemelha ao pênis e ao qual atribui o mesmo valor que o menino confere a seu órgão. Quer se apresente sob a forma de órgão peniano, no menino, ou de órgão clitoridiano, na menina, o pênis é para os dois sexos, portanto, um atributo universal.

Segundo tempo: o clitóris é pequeno demais
para ser um pênis: "Fui castrada"

Esse é o momento em que a menina descobre visualmente a região genital masculina. A *visão* do pênis a obriga a admitir definitivamente que ela não possui o verdadeiro órgão peniano. "A menina observa o *pênis grande* e bem visível de um irmão ou de um coleguinha de brincadeiras. Reconhece-o de imediato como a réplica superior de seu *pequeno órgão* oculto [o clitóris] e, a partir daí, torna-se vítima da inveja do pênis."[7]

Diversamente do menino, para quem os efeitos da experiência visual são progressivos, para a menina os efeitos da visão do sexo masculino são *imediatos*. "De imediato, ela julga e decide. Viu aquilo, sabe que não o tem e quer tê-lo."[8] A experiência do menino é muito diferente da experiência da menina: ante a visão do pênis, a menina reconhece desde logo que já foi castrada – a castração *já foi* consumada: "Fui castrada." Ante a visão do púbis feminino, o menino teme ser castrado – a castração *poderia* consumar-se: "Eu poderia ser castrado." Para melhor distinguir a castração feminina da castração masculina, devemos ter em mente que o menino vive a *angústia* da ameaça, enquanto a menina vivencia a *inveja de possuir* aquilo que viu e do qual foi castrada.[9]

Terceiro tempo: a mãe também é castrada; ressurgimento do ódio pela mãe

No momento em que a menina reconhece sua castração, no sentido de que seu clitóris é menor do que o pênis, ainda se trata apenas de um "infortúnio individual"; progressivamente, porém, ela toma consciência de que as outras mulheres – dentre elas sua própria mãe – sofrem da mesma desvantagem. A mãe é então desprezada, rejeitada pela filha, por não ter podido transmitir-lhe os atributos fálicos e, além disso, por não ter sabido ensinar-lhe a valorizar seu verdadeiro corpo de mulher.[10] O ódio primordial da primeira separação da mãe, soterrado até esse momento, ressurge então na menina sob a forma de recriminações incessantes. Assim, a descoberta da castração da mãe leva a menina a separar-se dela pela segunda vez e, a partir daí, a escolher o pai como objeto de amor.

Tempo final: as três saídas do complexo de castração; nascimento do complexo de Édipo

Diante da evidência de sua falta de pênis, a menina pode adotar três atitudes diferentes que decidirão o destino de sua feminilidade. Claro está que essas três saídas nem sempre se distinguem com nitidez na realidade.

1. Ausência de inveja do pênis

A primeira reação da menina diante da falta é ficar tão assustada com sua desvantagem anatômica a ponto de se desviar de maneira generalizada de toda a sexualidade. Ela se recusa a entrar em rivalidade com o menino e, por conseguinte, não é habitada pela inveja do pênis.

2. Vontade de ser dotada do pênis do homem

A segunda reação da menina, sempre diante dessa falta, é obstinar-se em acreditar que um dia ela poderá possuir um pênis tão grande quanto o que viu no menino e, desse modo, tornar-se semelhante aos homens. Nesse caso, ela *nega* o fato de sua castração e preserva a esperança de um dia ser detentora de um pênis. Essa segunda saída a leva "a não desistir, com uma confiança insolente, de sua masculinidade ameaçada".[11] A fantasia de ser homem, apesar de tudo, permanece como o objetivo de sua vida. "O complexo de masculinidade da mulher pode também concluir-se numa escolha de objeto homossexual manifesta."[12] A inveja do pênis consiste, nesse caso, na vontade de ser dotada do pênis do homem. O clitóris continua, na qualidade de "penizinho", a ser a zona erógena dominante.

3. Vontade de ter substitutos do pênis

A terceira reação da menina é o reconhecimento imediato e definitivo da castração. Esta última atitude feminina, que Freud qualifica de "normal", caracteriza-se por três mudanças importantes:

a. *Mudança do parceiro amado: a mãe cede lugar ao pai.* Ao longo dos diferentes tempos que desenvolvemos, o parceiro amado pela filha é principalmente a mãe. Esse vínculo privilegiado com a mãe persiste até o momento em que a menina constata que também sua mãe sempre foi castrada. Então, afasta-se dela com desprezo e se volta para o pai, passível de responder positivamente a sua vontade de ter um pênis. Há, portanto, uma mudança do objeto de amor. É para o pai que passam então a se dirigir os sentimentos ternos da menina. Assim se inicia o complexo de Édipo feminino, que persistirá ao longo de toda a vida da mulher.
b. *Mudança da zona erógena: o clitóris cede lugar à vagina.* Até a descoberta da castração da mãe, o clitóris-pênis preserva sua supremacia erógena. O reconhecimento de sua própria castração e da castração materna, assim como a orientação de seu amor para o pai, implicam um deslocamento da libido no corpo da menina. No correr dos anos que se estendem da infância à adolescência, o investimento do clitóris se irá transpondo progressivamente para a vagina. A inveja do pênis significa, nesse caso, *gozar com o pênis* no coito, e a "vagina ganha então valor como continente do pênis; ela recolhe a herança do corpo materno".[13]
c. *Mudança do objeto desejado: o pênis cede lugar a um filho.* A vontade de gozar com um pênis no coito metaboliza-se, nessa terceira saída, na vontade de gerar um filho. O deslocamento dos investimentos erógenos do clitóris para a vagina traduz-se pela passagem da vontade de acolher no corpo o órgão peniano para a vontade de ser mãe.

Resumamos sucintamente o percurso que leva uma menina a ser mulher. A lactente deseja inicialmente a mãe, separa-se dela pela primeira vez no momento do desmame e se separa pela segunda vez no momento da descoberta da castração materna. Seu desejo de um pênis dirige-se então para o pai, sob a forma de um desejo infantil. Podemos constatar que o complexo de Édipo feminino é uma formação secundária, enquanto o do menino é uma formação primária. A feminilidade é, definitivamente, um constante devir, tecido por uma multiplicidade de trocas, todas destinadas a encontrar para o pênis o melhor equivalente.

Esquema do complexo de castração no Menino

Ausência de ódio pré-edipiano

Primeiro tempo
Universalidade do pênis

Segundo tempo
O pênis é verbalmente ameaçado pelo pai

Terceiro tempo
O pênis é ameaçado à visão do corpo nu da mulher

Quarto tempo
A mãe é castrada
"Posso ser castrado como ela", pensa o menino
Emergência da angústia de castração

Tempo final
Separação da mãe
Desejo dirigido para outras mulheres
Fim do complexo de castração e
Fim do complexo de Édipo

ESQUEMA DO COMPLEXO DE CASTRAÇÃO NA **MENINA**

Ódio pré-edipiano

Primeiro tempo

Universalidade do pênis (clitóris)

(Ausência de ameaças verbais)

Segundo tempo

Visualmente comparado ao pênis, o clitóris é "inferior"

Terceiro tempo

A mãe é castrada

"Fui castrada como ela", pensa a menina

Emergência da inveja do pênis

Ressurgimento do ódio

Tempo final

Separação da mãe

Desejo voltado para o pai e para outros homens

Fim do complexo de castração e

Nascimento do complexo de Édipo

Citações das obras de S. Freud sobre a castração

Para o menino e a menina, o pênis é um atributo universal

A primeira [das teorias sexuais infantis] está ligada ao fato de que as diferenças entre os sexos são negligenciadas. ... Essa teoria consiste em atribuir a todos os seres humanos, inclusive os seres femininos, um pênis como o que o menino conhece a partir de seu próprio corpo.[1] (1908)

O caráter principal dessa "organização genital infantil" ... reside em que, para os dois sexos, um único órgão genital, o órgão masculino, desempenha um papel. Não existe, portanto, um primado genital, mas um primado do falo.[2] (1923)

Para o menino, o pênis é ameaçado

Sabemos como [os meninos] reagem às primeiras impressões provocadas pela falta do pênis. Eles negam essa falta e acreditam estar vendo um membro, apesar de tudo; descem um véu sobre a contradição entre a observação e a preconcepção, tratando de achar que ele ainda é pequeno e que crescerá em breve, e chegam lentamente a esta conclusão, de grande alcance afetivo: antes, pelo menos, ele tinha realmente estado ali, e depois foi retirado. A falta do pênis é concebida como o resultado de uma castração, e o menino vê-se então obrigado a se confrontar com a relação entre a castração e sua própria pessoa.[3] (1923)

O conceito de castração

A experiência visual do menino reativa as ameaças verbais anteriores

[A mãe] ameaça o filho de retirar-lhe o objeto do delito [o pênis objeto de práticas masturbatórias] e, em geral, para tornar mais crível sua ameaça, declara que deixará ao pai a tarefa de executá-la. ... O pai, diz ela, cortará o membro viril. O notável é que essa ameaça só se torna atuante quando uma outra condição é atendida, antes ou depois. Com efeito, o filho não acredita na possibilidade de tal punição, porém, quando, ... mais tarde, lhe acontece perceber o sexo feminino, ao qual falta aquele objeto mais apreciado dentre todos, ele passa a levar a sério a ameaça e, sob o efeito do complexo de castração, sofre o mais forte trauma de sua jovem existência.[4] (1938)

A crença do menino na universalidade do pênis é mais forte do que a realidade da percepção da falta do pênis

Quando o menino vê as partes genitais de uma irmãzinha, seus comentários mostram que seu preconceito já é suficientemente forte para violentar a percepção; em vez de constatar a falta do membro, ele diz habitualmente, à guisa de consolo e conciliação: é que o ... ainda é pequeno, mas, quando ela [a menina] for maior, ele vai crescer, sim.[5] (1908)

Entre o amor narcísico pelo pênis e o amor incestuoso pela mãe, o menino escolhe seu pênis

Se a satisfação amorosa, no campo do complexo de Édipo, tem de custar o preço do pênis, chega-se então, necessariamente, ao conflito entre o interesse narcísico por essa parte do corpo e o investimento libidinal dos objetos parentais. Nesse conflito, é normalmente a primeira dessas forças que leva a melhor; o ego do menino desvia-se do complexo de Édipo.[6] (1923)

Na maioria das vezes, a virilidade do filho cede sob o impacto desse primeiro choque [da angústia de castração]. A fim de salvar seu membro viril, ele renuncia mais ou menos completamente à posse da mãe.[7] (1938)

O complexo de castração na menina

Na menina, o complexo de Édipo é uma formação secundária. É precedido e preparado pelas sequelas do complexo de castração. No que concerne à relação entre complexo de Édipo e complexo de castração, há uma oposição fundamental entre os dois sexos. Enquanto o complexo de Édipo do menino naufraga sob o efeito do complexo de castração, o da menina é possibilitado e introduzido pelo complexo de castração. Essa contradição se esclarece quando consideramos que o complexo de castração atua sempre no sentido implicado por seu conteúdo: inibe e limita a masculinidade e incentiva a feminilidade.[8] (1925)

Para a menina, o clitóris é um pênis

O clitóris da menina comporta-se, de início, exatamente como um pênis.[9] (1923)

... a mulher possui duas [zonas genitais predominantes]: a vagina, que é propriamente feminina, e o clitóris, análogo ao membro viril. A vagina não se faz presente, por assim dizer, durante muitos anos. ... Assim, a essência do que concerne à genitalidade, na infância, tem que desenrolar-se em relação com o clitóris.[10] (1931)

A menina sabe que foi sempre castrada

A mulher não precisa dessa fantasia [de castração], uma vez que já veio ao mundo castrada, na qualidade de mulher.[11] (1912)

A menina, e depois a mulher, experimenta a inveja do pênis

A esperança [da menina] de um dia, apesar de tudo, obter um pênis, e assim tornar-se semelhante aos homens, pode manter-se até uma época incrivelmente tardia e tornar-se o motivo de atos estranhos, que, sem isso, seriam incompreensíveis.[12] (1925)

O complexo de castração da menina também nasce ante a visão dos órgãos genitais do outro sexo. Ela se apercebe imediatamente da diferença. ... Muito sensível ao dano que lhe foi causado, ela gostaria muito, por sua vez, de "ter uma coisa assim". A *inveja do pênis* se apodera dela, uma inveja que deixará em sua evolução, na formação de seu caráter, traços indeléveis. A menina, ao descobrir sua desvantagem, não se resigna facilmente. Quando, finalmente, o conhecimento da realidade a faz perder toda a esperança de ver seu desejo se realizar, a análise ainda mostra que este permaneceu vivo no inconsciente e que continua a conservar uma notável carga energética.[13] (1933)

A mãe é castrada: ressurgimento do ódio

... a menina considera sua mutilação, inicialmente, como um infortúnio individual; só mais tarde é que finalmente percebe que outros seres femininos, dentre eles sua própria mãe, são semelhantes a ela. Ora, seu amor era dirigido a uma mãe fálica, e não a uma mãe castrada. Por conseguinte, torna-se possível afastar-se dela e deixar que os sentimentos hostis, acumulados desde longa data, levem a melhor.[14] (1933)

Uma consequência da inveja do pênis parece ser um relaxamento da relação de ternura com a mãe enquanto objeto. ... É quase sempre a mãe que é responsabilizada pela falta do pênis, a mãe que lançou [a filha] no mundo com um equipamento tão insuficiente.[15] (1925)

A razão por que tantas filhas querem mal às mães tem por raiz última a censura por estas as terem feito nascer mulheres, em vez de fazê-las nascer homens.[16] (1916)

Mudança do parceiro amado: a mãe cede lugar ao pai

... [A menina] desliga-se de uma mãe anteriormente amada, não a perdoando, sob o efeito da inveja do pênis, por tê-la trazido ao mundo tão mal equipada. Em seu ressentimento, ela se afasta da mãe e adota outro objeto de amor: o pai. Passa a odiar aquela a quem até então havia amado, e por dois motivos: por ciúme e por rancor, por causa do pênis de que foi privada. Suas novas relações com o pai podem estabelecer-se, a princípio, com base no desejo de dispor do pênis dele ...[17] (1938)

Mudança da zona erógena da menina: o clitóris cede lugar à vagina

Podemos ter certeza de que, durante a fase fálica, é realmente o clitóris que constitui a zona erógena preponderante. Mas essa situação não é estática: à medida que se forma a feminilidade, o clitóris tem que ceder toda ou parte de sua sensibilidade, e, através disso, de sua importância, à vagina.[18] (1933)

Mudança do objeto desejado: o pênis cede lugar a um filho

O desejo que a filha tem do pai não passa, sem dúvida, originalmente, do desejo de possuir um falo, o falo que lhe foi recusado pela mãe e que ela agora espera receber do pai. Todavia, a situação só se estabelece realmente quando o desejo do pênis é substituído pelo desejo de ter um filho, tornando-se este, segundo uma velha equivalência simbólica, o substituto do pênis.[19] (1933)

O complexo de Édipo é o futuro "normal" da mulher

Seu desejo, no fundo insaciável, de possuir um pênis, pode encontrar satisfação quando ela consegue complementar seu amor pelo órgão com o amor pelo homem que é portador deste.[20] (1938)

BIBLIOGRAFIA DAS CITAÇÕES*

1. "Les Théories Sexuelles Infantiles", in *La Vie Sexuelle*, PUF, 1969, p.19 ["Sobre as Teorias Sexuais Infantis", *ESB* vol.IX].
2. "L'Organisation Génitale Infantile", in *La Vie Sexuelle*, op.cit., p.114 ["A Organização Genital Infantil: Uma Interpolação na Teoria da Sexualidade", *ESB* vol.XIX].
3. *Ibid.*, p.115.
4. *Abrégé de Psychanalyse*, PUF, 1949. p.60-1 [*Um esboço de psicanálise*, *ESB* vol.XXIII].
5. "Les Théories Sexuelles Infantiles", op.cit., p.19.
6. "La Disparition du Complexe d'Oedipe", in *La Vie Sexuelle*, op.cit., p.120 ["A Dissolução do Complexo de Édipo", *ESB* vol.XIX].
7. *Abrégé de Psychanalyse*, op.cit., p.61.
8. "Quelques Conséquences Psychiques de la Différence Anatomique entre les Sexes", in *La Vie Sexuelle*, op.cit., p.130 ["Algumas Consequências Psíquicas da Diferença Anatômica entre os Sexos", *ESB* vol.XIX].
9. "La Disparition du Complexe d'Oedipe", loc.cit., p.121.
10. "Sur la Sexualité Féminine", in *La Vie Sexuelle*, op.cit., p.141-2 ["Sexualidade Feminina", *ESB* vol.XXI].
11. "Minutes de la Société Psychanalytique de Vienne, Séance du 20 mars 1912", in *Les Premiers Psychanalystes*, vol.IV, Gallimard, 1983, p.105.
12. "Quelques Conséquences Psychiques de la Différence Anatomique entre les Sexes", loc.cit., p.127.
13. "La Féminité", in *Nouvelles Conférences d'Introduction à la Psychanalyse*, Gallimard, 1984, p.167 ["A Feminilidade", Conferência XXXIII, *Novas conferências introdutórias sobre psicanálise*, *ESB* vol.XXII].
14. *Ibid.*, p.169.
15. "Quelques Conséquences Psychiques de la Différence Anatomique entre les Sexes", loc.cit., p.128-9.
16. "Quelques Types de Caractère Dégagés par la Psychanalyse", in *Essais de Psychanalyse Appliquée*, Gallimard, 1971, p.111 ["Alguns Tipos de Caráter Encontrados no Trabalho Psicanalítico", *ESB* vol.XIV].
17. *Abrégé de Psychanalyse*, op.cit., p.65.
18. "La Féminité", loc.cit., p.65.
19. *Ibid.*, p.171-2.
20. *Abrégé de Psychanalyse*, op.cit., p.65-6.

---

* Estão indicados entre colchetes os títulos e volumes dos textos freudianos tal como constam da *Edição Standard Brasileira das Obras Psicológicas Completas de Sigmund Freud*, Rio de Janeiro, Imago (N.T.)

Seleção bibliográfica sobre a castração

Freud, S.

1905   *Trois Essais sur la Théorie de la Sexualité*, Gallimard, 1962, p.91-2, e nota 51 (de 1920), p.179-80 [*Três ensaios sobre a teoria da sexualidade*, ESB vol.VII].
1908   "Les Théories Sexuelles Infantiles", in *La Vie Sexuelle*, PUF, 1969, p.19 ["Sobre as Teorias Sexuais Infantis", *ESB* vol.IX].
1909   "Analyse d'une Phobie chez un Petit Garçon de Cinq Ans (Le Petit Hans)", in *Cinq Psychanalyses*, PUF, 1954, p.95-8,168-89 ["Análise de uma Fobia num Menino de Cinco Anos", *ESB* vol.X].
1910   *Un Souvenir d'Enfance de Léonard de Vinci*, Gallimard, 1977, p.71-7 ["Uma Lembrança da Infância de Leonardo da Vinci", *ESB* vol.XI].
1917   "Sur les Transpositions de Pulsions plus Particulièrement dans l'Érotisme Anal", in *La Vie Sexuelle*, op.cit., p.106-12 ["Sobre as Transformações da Pulsão, Particularmente no Erotismo Anal", *ESB* vol.XVII].
1918   "Extrait de l'Histoire d'une Névrose Infantile (L'Homme aux Loups)", in *Cinq Psychanalyses*, op.cit., p.378-92 ["História de uma Neurose Infantil", *ESB* vol.XVII].
1923   "L'Organisation Génitale Infantile", in *La Vie Sexuelle*, op.cit., p.113-16 ["A Organização Genital Infantil: Uma Interpolação na Teoria da Sexualidade", *ESB* vol.XIX].
1923   "La Disparition du Complexe d'Oedipe", in *La Vie Sexuelle*, op.cit., p.117-22 ("A Dissolução do Complexo de Édipo", *ESB* vol.XIX].
1925   "Quelques Conséquences Psychiques de la Différence Anatomique entre les Sexes", in *La Vie Sexuelle*, op.cit., p.123-32 ["Algumas Consequências Psíquicas da Diferença Anatômica entre os Sexos", *ESB* vol.XIX].
1927   "Le Fétichisme", in *La Vie Sexuelle*, op.cit., p.133-8 ["Fetichismo", *ESB* vol.XXI].
1931   "Sur la Sexualité Féminine", in *La Vie Sexuelle*, op.cit., p.139-55 ["Sexualidade Feminina", *ESB* vol.XXI].
1933   "La Féminité", in *Nouvelles Conférences d'Introduction à la Psychanalyse*, Gallimard, 1984, p.167-75 ["A Feminilidade", *Novas conferências introdutórias sobre psicanálise*, conferência XXXIII, *ESB* vol.XXII).

1937 "L'Analyse avec Fin et l'Analyse sans Fin", in *Résultats, Idées, Problèmes II (1921-1938)*, PUF, 1985, p.165-268 ["Análise Terminável e Interminável", *ESB* vol.XXIII].
1938 "Le Clivage du Moi dans le Processus de Défense", in *Résultats, Idées, Problèmes II*, op.cit., p.283-6 ["A Divisão do Ego no Processo de Defesa", ESB vol.XXIII].
1938 *"Abrégé de Psychanalyse"*, PUF, 1949, p.60-1, 65-6 [*Um esboço de psicanálise*, ESB vol.XXIII].

Lacan, J.

Le Séminaire, livre III, *Les Psychoses*, Seuil, 1981, p.21-2, 170, 195-205, 349-55 [Ed. bras.: *O Seminário*, livro 3, *As psicoses*, Rio de Janeiro, Zahar, 2ª ed., 2008, p.21-2, 173, 198-208, 348-54].
La Relation d'Objet et les Structures Freudiennes, aulas de 12 de dezembro de 1956, 16 de janeiro de 1957, 30 de janeiro de 1957, fevereiro de 1957 e março de 1957. [Ed. bras.: *O Seminário*, livro 4, *A relação de objeto*, Rio de Janeiro, Zahar, 1995].
Les Formations de l'Inconscient, aulas de março de 1958, abril de 1958, maio de 1958 e 5 de junho de 1958. [Ed. bras.: *O Seminário*, livro 5, *As formações do inconsciente*, Rio de Janeiro, Zahar, 1999].
Le Désir et son Interprétation (seminário inédito), aulas de fevereiro de 1959, abril de 1959, 13 de maio de 1959, 20 de maio de 1959, 10 de junho de 1959, 17 de junho de 1959 e 1º de julho de 1959.
Écrits, Seuil, 1966, p.232, 386-93, 555-6, 565, 685-95, 732, 820. [Ed. bras.: *Escritos*, Rio de Janeiro, Zahar, 1998, p.232-3, 387-95, 561-3, 571-2, 692-703, 741-2, 834-5].

DOLTO, F., *La Sexualité Féminine*, Le Livre de Poche, 1982, p.99.
_____, *L'Image Inconsciente du Corps*, Seuil, 1984, p.63-208.
LECLAIRE, S., *Psychanalyser*, Seuil, 1968, cap. 8 [*Psicanalisar*, São Paulo, Perspectiva].
_____. *Démasquer le Réel*, Seuil, 1971, p.45-53.
NASIO, J.-D., *A criança magnífica da psicanálise*, Rio de Janeiro, Zahar, 1988, p.42-3.
SAFOUAN, M., *La Sexualité Féminine*, Seuil, 1976, p.73-94, 129-41 [*A sexualidade feminina*, Rio de Janeiro, Zahar, 1977].

2. O CONCEITO DE FALO

O conceito de falo

O termo "falo", raramente utilizado nos escritos freudianos, é por vezes empregado para qualificar o "estágio fálico", momento particular do desenvolvimento da sexualidade infantil durante o qual culmina o complexo de castração. Freud utiliza mais genericamente o termo "pênis", todas as vezes que se trata de designar a parte ameaçada do corpo do menino e ausente do corpo da mulher. O capítulo anterior, dedicado à castração, deixou em suspenso essa distinção pênis-falo e manteve, a bem da clareza, o vocabulário freudiano. Coube a Jacques Lacan ter elevado o vocábulo "falo" à categoria de conceito analítico e reservado o termo "pênis" para denominar apenas o órgão anatômico masculino. Não obstante, em numerosas ocasiões, Freud já havia esboçado essa diferença, que Lacan se esforçaria por acentuar, mostrando como a referência ao falo é prevalente na teoria freudiana. Por isso Lacan pôde escrever: "Está aí um fato totalmente essencial ... – seja qual for o remanejamento que ele [Freud] tenha introduzido em sua teorização ..., a prevalência do centro fálico nunca foi modificada."[1]

A primazia do falo não deve ser confundida com uma suposta primazia do pênis. Quando Freud insiste no caráter exclusivamente masculino da libido, não é de libido peniana que se trata, mas de libido fálica. O elemento organizador da sexualidade humana não é, portanto, o órgão genital masculino, mas a *representação* construída com base nessa parte anatômica do corpo do homem. A prevalência do falo significa que a evolução sexual infantil e adulta ordena-se conforme esse pênis imaginário – chamado falo – esteja presente ou ausente no mundo dos seres humanos. Lacan sistematizaria a dialética da presença e da ausência em torno do falo através dos conceitos de falta e de significante.

Mas, o que vem a ser o falo?

Se retomarmos o conjunto do processo da castração tal como foi estudado no menino e na menina, ressaltará daí que o objeto central em torno do qual se organiza o complexo de castração não é, a bem da verdade, o órgão anatômico peniano, mas a representação deste. O que a criança percebe como atributo possuído por alguns e ausente em outros não é o pênis, mas sua representação psíquica, seja sob a forma imaginária, seja sob a forma simbólica. Falamos, assim, em falo imaginário e falo simbólico.

Falo imaginário

A forma imaginária do pênis, ou o falo imaginário, é a representação psíquica inconsciente que resulta de três fatores: anatômico, libidinal e fantasístico. Primeiramente, o fator anatômico, que resulta do caráter fisicamente proeminente desse apêndice do corpo e confere ao pênis uma viva pregnância, simultaneamente tátil e visual. É a "boa forma" peniana que se impõe à percepção da criança segundo a alternativa de uma parte presente ou ausente do corpo. Em seguida, como segundo fator, há a intensa carga libidinal acumulada nessa região peniana e que suscita as frequentes apalpações autoeróticas da criança. E por fim, o terceiro fator, fantasístico, ligado à angústia provocada pela fantasia de que o referido órgão possa um dia ser mutilado. Logo compreendemos que o termo "pênis" – vocábulo anatômico – é impróprio para designar essa entidade imaginária criada pela boa forma de um órgão pregnante, pelo intenso amor narcísico que a criança deposita nele e pela extrema inquietação de vê-lo desaparecer. Em suma, o pênis, em sua realidade anatômica, não faz parte do campo da psicanálise; entra neste unicamente como um atributo imaginário – o falo imaginário – do qual apenas alguns seres seriam providos. Veremos que esse falo imaginário, por sua vez, adquire uma condição inteiramente diversa: a de operador simbólico.

Falo simbólico

O falo é um objeto permutável

A figura simbólica do pênis, ou, mais exatamente, a figura simbólica do falo imaginário, ou "falo simbólico", pode ser entendida segundo diferentes acepções. Em primeiro lugar, a que atribui ao órgão masculino o valor de *objeto destacável* do corpo, amovível e *permutável* com outros objetos. Já não se trata aqui, no tocante ao falo simbólico, como no caso do falo imaginário, de ser um objeto presente ou ausente, ameaçado ou preservado, mas de ocupar um dos lugares de uma série de termos equivalentes. No caso do complexo de castração masculino, por exemplo, o falo imaginário pode ser substituído por qualquer dos objetos que sejam oferecidos ao menino no momento em que ele é obrigado a renunciar ao gozo com a mãe. Já que tem de renunciar à mãe, ele abandona também o órgão imaginário com o qual esperava fazê-la gozar. O falo é então trocado por outros objetos equivalentes (pênis = fezes = presentes = ...). Essa série comutativa, qualificada por Freud de "equação simbólica", é constituída por diversos objetos que têm por função, à maneira de um engodo, manter o desejo sexual da criança, ao mesmo tempo permitindo que ela afaste a eventualidade perigosa de gozar com a mãe. Observe-se ainda que o valor do objeto permutável do órgão masculino em sua condição imaginária (falo imaginário) é identificado sobretudo na terceira saída do complexo de castração feminino, caracterizada, no capítulo anterior, como sendo a substituição da inveja do pênis pela vontade de procriar: o falo imaginário é *simbolicamente* substituído por um filho.

O falo é o padrão simbólico

O falo, entretanto, é muito mais do que um termo entre outros numa série comutativa; ele próprio é a condição que garante a existência da série e torna possível que objetos heterogêneos na vida sejam objetos equivalentes na ordem do desejo humano. Dito de outra maneira, a experiência da castração é tão crucial na constituição da sexualidade humana que o objeto central imaginário em torno do qual se organiza a castração – falo imaginário – imprime sua marca em todas as demais experiências erógenas, qualquer que seja o lugar do corpo em questão. O desmame, por exemplo, ou o controle do esfíncter anal – experiências por que a criança passa e que estão na origem do desejo oral ou do desejo anal – reproduzem o mesmo esquema da experiência da castração. Dentro dessa perspectiva, os objetos perdidos – o seio que a criança perde ou as fezes que se desprendem – assumem, também eles, o valor de falo imaginário. Logo, o falo imaginário em si deixa de ser imaginário, exclui-se da série e se torna o *padrão simbólico* que possibilitará que quaisquer objetos sejam sexualmente equivalentes, isto é, todos referidos à castração.

Se o falo pode excluir-se da série comutativa e constituir seu referencial invariável é por persistir como vestígio desse acontecimento fundamental que é a castração, ou seja, a aceitação, por todos os seres humanos, do limite imposto ao gozo em relação à mãe. O falo simbólico significa e lembra que todo desejo do homem é um desejo sexual, isto é, não um desejo genital, mas um desejo tão insatisfeito quanto o desejo incestuoso a que o ser humano teve que renunciar. Afirmar com Lacan que o falo é o significante do desejo é lembrar que todas as experiências erógenas da vida infantil e adulta, todos os desejos humanos (desejo oral, anal, visual etc.), permanecerão marcados pela experiência crucial de se ter tido que renunciar ao gozo com a mãe e aceitar a insatisfação do desejo. Dizer que o falo é o significante do desejo equivale a dizer que todo desejo é sexual e que todo desejo, em última instância, é insatisfeito. Insistimos mais uma vez em sublinhar que, no campo da psicanálise, os termos "sexual" ou "sexualidade" não devem ser confundidos com o erotismo genital, mas referidos a este fato essencial da vida libidinal: as satisfações são sempre insuficientes no tocante ao mito do gozo incestuoso. O significante fálico é o limite que separa o mundo da sexualidade sempre insatisfeita do mundo do gozo supostamente absoluto.

Existe ainda uma terceira acepção do falo simbólico, mas ela está tão diretamente implicada na teoria lacaniana da castração que deveremos, primeiro, reunir seus pontos essenciais. Lembremos, antes de mais nada, que fizemos uma distinção entre o *pênis real* e o *falo imaginário*, e entre este e o *falo simbólico* em seus dois estatutos: o de ser um objeto substituível entre outros e o de ser, à parte esses objetos, o referencial que garante a própria operação de sua substituição.

O falo é o significante da lei

Na concepção lacaniana, a castração não se define somente pela ameaça provocadora da angústia do menino, nem pela constatação de uma falta na origem da inveja do pênis na menina; ela se define, fundamentalmente, pela *separação* entre a mãe e a criança. Segundo Lacan, a castração é o corte produzido por um ato que cinde e dissocia o vínculo imaginário e narcísico entre a mãe e o filho. Como vimos, a mãe, na qualidade de mulher, coloca seu filho no lugar de falo imaginário, e o filho, por sua vez, identifica-se com esse lugar para preencher o desejo materno. O desejo da mãe, tal como o de toda mulher, é ter o falo. Assim, a criança se identifica como sendo, ela mesma, esse falo – o mesmo falo que a mãe deseja desde que entrou no Édipo. Por isso a criança se aloja na parte faltosa do desejo insatisfeito do Outro materno. Assim se estabelece uma relação imaginária consolidada entre uma mãe que acredita ter o falo e o filho que acredita sê-lo. O ato castrador incide, portanto, não exclusivamente sobre a criança, como poderíamos enunciar com Freud, mas sobre o *vínculo* mãe-filho. O agente dessa operação de corte é, em geral, o pai, que representa a lei da proibição do incesto. Ao lembrar à mãe que ela não pode reintegrar o filho em seu ventre, e ao lembrar ao filho que ele não pode possuir a mãe, o pai castra a mãe de qualquer pretensão de ter o falo e, ao mesmo tempo, castra o filho de qualquer pretensão de ser o falo para a mãe. A palavra paterna que encarna a lei simbólica consuma, portanto, uma castração dupla: castrar o Outro materno de *ter o falo* e castrar a criança de *ser o falo*.

Para melhor sublinhar o afastamento da teoria lacaniana da castração e do falo em relação às teses freudianas, observemos, em Lacan:

- que a castração não é tanto uma ameaça ou uma inveja, mas um ato de corte;
- que esse ato incide mais sobre um vínculo do que sobre uma pessoa;
- que esse ato visa a um objeto: o falo imaginário, objeto desejado pela mãe e com o qual a criança se identifica;
- que o ato de castração, apesar de assumido pelo pai, não é, na realidade, produto de uma pessoa física, mas a operação sim-

bólica da fala paterna. O ato da castração é obra da lei à qual o próprio pai, como sujeito, está inevitavelmente submetido.

Mãe, pai e filho, todos estão assujeitados à ordem simbólica que confere a cada um seu lugar definido e impõe um limite a seu gozo. Segundo Lacan, o agente da castração é a efetuação, em todas as suas variações, dessa lei impessoal, estruturada como uma linguagem e completamente inconsciente. Uma experiência por atravessar, um obstáculo a superar, uma decisão a tomar, um exame a passar etc., todos são desafios da vida cotidiana que reatualizam, sem o conhecimento do sujeito e ao preço de uma perda, a força separadora de um limite simbólico. Compreendemos assim o sentido da formulação lacaniana: a castração é simbólica, e seu objeto, imaginário. Isso quer dizer que ela é a lei que rompe a ilusão de cada ser humano de se acreditar possuidor ou identificado com uma onipotência imaginária.

Neste momento podemos conceber a terceira acepção do falo simbólico, enquanto assemelhado por Lacan à própria lei em seu poder proibidor do incesto e separador do vínculo mãe-filho. Achamo-nos, portanto, diante de um paradoxo singular: o mesmo falo, enquanto imaginário, é o *objeto* visado pela castração, e, enquanto simbólico, é o *corte* que efetua a castração. A dificuldade de discernir claramente a teoria lacaniana do falo provém, precisamente, dessas múltiplas funções encarnadas pelo falo. O pênis real, por estar investido, existe apenas como falo imaginário; o falo imaginário, por sua vez, por ser permutável, só existe como falo simbólico; e o falo simbólico, enfim, por ser significante do desejo, confunde-se com a lei separadora da castração.

Citações das obras de S. Freud e J. Lacan sobre o falo

Freud

O falo é um objeto destacável e substituível

O pênis é então reconhecido como algo que pode ser separado do corpo e é identificado como análogo ao excremento, que foi a primeira porção de substância corporal a que se teve de renunciar.[1] (1917)

... não é somente nos órgãos genitais [que a criança] situa a fonte do prazer por que espera, mas outras partes do corpo aspiram nela à mesma sensibilidade, fornecem sensações de prazer análogas e podem, desse modo, desempenhar o papel de órgãos genitais.[2] (1917)

Lacan

O falo é um padrão simbólico

O falo na doutrina freudiana não é uma fantasia, se com isso se deve entender um efeito imaginário. Tampouco é um objeto como tal (parcial, interno, bom, mau etc.) na medida em que esse termo tenda a precisar a realidade interessada numa relação. É ainda bem menos o órgão, pênis ou vagina, que simboliza ... . Porque o falo é um significante ..., o significante destinado a designar em seu conjunto os efeitos de significado.[3]

O falo é o significante do desejo

E, de saída, por que falar de falo, e não de pênis? É que não se trata de uma forma ou de uma imagem ou de uma fantasia, mas de um significante, o significante do desejo.[4]

O que é preciso reconhecer é a função do falo, não como objeto mas como significante do desejo, em todas as suas metamorfoses.[5]

O falo simbólico equivale à lei

A metáfora paterna age em si mesma na medida em que a primazia do falo está instaurada na ordem da cultura.[6]

A criança é o falo imaginário do desejo da mãe

Na relação primordial com a mãe, [o filho] tem a experiência do que falta a ela: o falo ... Eis que ele se empenha em satisfazer [nela] esse desejo impossível de preencher numa dialética de engano, por exemplo, em atividades de sedução, todas ordenadas em torno do falo [simbólico] presente-ausente.[7]

Num primeiro tempo, a criança está em relação com o desejo da mãe, é desejo de desejo. O objeto desse desejo é o falo, objeto metonímico essencialmente na medida em que vai circular por toda parte onde haja significado: é na mãe que a questão do falo se coloca e que a criança tem de localizá-la.[8]

Se o desejo da mãe é o falo, a criança quer ser o falo para satisfazê-lo.[9]

A criança é castrada de "ser o falo"

... a solução do problema de castração não se sustenta no dilema de tê-lo ou não tê-lo: o sujeito deve, primeiro, reconhecer que não o é. É somente a partir daí que, homem ou mulher, poderá normalizar sua posição natural.[10]

Se a criança é castrada de "ser o falo", pode então ter o falo sob a forma de troca simbólica

Com efeito, o falo tem uma função de equivalência na relação com o objeto: é na proporção de uma certa renúncia ao falo que o sujeito entra em posse da pluralidade de objetos que caracteriza o mundo humano.[11]

A castração é simbólica, seu objeto é imaginário

A castração, tal como a encontramos na gênese de uma neurose, nunca é real, mas simbólica, e se refere a um objeto imaginário.[12]

O falo imaginário é uma imagem em negativo, um furo na imagem do outro

... o falo, ou seja, a imagem do pênis, é negativado em seu lugar na imagem especular [do outro].[13]

BIBLIOGRAFIA DAS CITAÇÕES

1. "Sur les Transpositions de Pulsions plus Particulièrement dans l'Érotisme Anal", in *La Vie Sexuelle*, PUF, 1969, p.112 ["Sobre as Transformações da Pulsão, Particularmente no Erotismo Anal", *ESB* vol.XVII].
2. Introduction à la Psychanalyse, Payot, 1981, p.193-4 [*Conferências introdutórias sobre psicanálise, ESB* vol.XV, Parte II, conferência XIII].
3. "La Signification du Phallus", in *Écrits*, Seuil, 1966, p.690. [Ed. bras.: "A significação do falo", in *Escritos*, Rio de Janeiro, Zahar, 1998, p.696-7].
4. *Les Formations de l'Inconscient*, sinopse redigida por J.-B. Pontalis, in *Bulletin de Psychologie*, vol.XII, 1958-1959, p.252.
5. Ibid., p.256.
6. Ibid, p.185.
7. *La Relation d'Objet et les Structures Freudiennes*, sinopse redigida por J.-B. Pontalis, in *Bulletin de Psychologie*, vol.X, 1956-1957, p.743.
8. *Les Formations de l'Inconscient*, in *Bulletin de Psychologie*, vol.XII, 1958-1959, p.186.
9. "La Signification du Phallus", loc.cit., p.693.
10. *Les Formations de l'Inconscient*, in *Bulletin de Psychologie*, vol.XII, 1958-1959, p.256.
11. *Le Désir et son Interprétation*, sinopse redigida por J.-B. Pontalis, in *Bulletin de Psychologie*, vol.XII, 1959-1960, p.334.
12. *La Relation d'Objet et les Structures Freudiennes*, in *Bulletin de Psychologie*, vol.X, 1956-1957, p.852.
13. "Subversion du Sujet et Dialectique du Désir", in *Écrits*, p.822. [Ed. bras.: "Subversão do sujeito e dialética do desejo no inconsciente freudiano", in *Escritos*, Rio de Janeiro, Zahar, 1998, p.836-7]

Seleção bibliográfica sobre o falo

Freud, S.

1923 "L'Organisation Génitale Infantile", in *La Vie Sexuelle,* PUF, 1969, p.113-6 ["A Organização Genital Infantil: Uma Interpolação na Teoria da Sexualidade", *ESB* vol.XIX].
1938 *Abrégé de Psychanalyse,* PUF, 1949, p.15 [*Um esboço de psicanálise, ESB* vol.XXIII].

Lacan, J.

La Relation d'Objet et les Structures Freudiennes, aulas de dezembro de 1956, março de 1957, 19 e 26 de junho de 1957. [Ed. bras.: *O Seminário,* livro 4, *A relação de objeto,* Rio de Janeiro, Zahar, 1995].
Les Formations de l'Inconscient, aulas de março, abril, maio e junho de 1958. [Ed. bras.: *O Seminário,* livro 5, *As formações do inconsciente,* Rio de Janeiro, Zahar, 1999].
Le Désir et son Interprétation, aulas de abril, maio, junho e julho de 1959.
Écrits, Seuil, 1966, p.522, 555-6, 565-6, 608, 632-3, 683, 685-95, 715, 732, 793-827. [Ed. bras.: *Escritos,* Rio de Janeiro, Zahar, 1998, p.526-7, 561-3, 571-3, 614-5, 638-40, 689-90, 692-703, 741-2, 807-42].

BONNET, G., "La Logique Phallique", in *Psychanalyse à l'Université,* 1980, 5, nº 20, p.621.
CONTÉ, C. e SAFOUAN, M., verbete "Phallus", in *Encyclopaedia Universalis;* vol.XII, p.914-5.
FENICHEL, O., "The Symbolic Equation: Girl = Phallus", in *Psychoanalytic Quaterly,* 1949, XX, vol.3, p.303-4.
LECLAIRE, S., *Démasquer le Réel,* Seuil, 1971, p.45-53.
NASIO, J.-D., "Métaphore et Phallus ", in *Démasquer le Réel,* op.cit., p.101-17.
TAILLANDIER, G., "Le Phallus: Une Note Historique", in *Esquisses Psychanalytiques,* primavera de 1988, nº 9, p.199.

3. O CONCEITO DE NARCISISMO

O CONCEITO DE NARCISISMO[1]

Sylvie Le Poulichet

A referência ao mito de Narciso, que evoca o amor dirigido à própria imagem, poderia levar a crer que tal amor seria inteiramente independente das pulsões sexuais tal como Freud as evidenciou. Pois bem, no campo da psicanálise, o conceito de narcisismo representa, ao contrário, um modo particular da relação com a sexualidade.

A fim de apresentar o conceito de narcisismo, acompanharemos a evolução dessa noção através dos trabalhos sucessivos de Freud e Lacan. Não reproduziremos a íntegra das referências nesses dois autores, mas tentaremos destacar as linhas centrais que situam o entendimento do conceito.

A montagem de um esquema proposto por J.-D. Nasio nos permitirá sustentar ao longo deste texto os principais avanços teóricos.

O conceito de narcisismo em Freud

Em 1898, Havelock Ellis fez uma primeira alusão ao mito de Narciso, a propósito das mulheres cativadas por sua imagem no espelho. Mas foi Paul Näcke que, em 1899, introduziu pela primeira vez o termo "narcisismo" no campo da psiquiatria. Designou com esse termo um estado de amor por si mesmo que constituiria uma nova categoria de perversão. Ora, nessa época, Freud estava formulando a questão sobre a "escolha da neurose" por que alguém se torna obsessivo, e não histérico? E explicou então essa escolha pela idade em que teria ocorrido o trauma.

Foi preciso esperar até 1910 para que Freud, em reação aos desvios de alguns de seus discípulos, fosse levado a precisar sua posição a respeito do narcisismo. Ele criticou radicalmente as teses de Jung; o estudo das psicoses levara este último, de fato, a ampliar a noção de libido a ponto de fazê-la perder qualquer caráter propriamente sexual. Ao mesmo tempo, Freud opôs-se a Sadger no tocante à questão do narcisismo na homossexualidade. Em ambos os casos, Freud sustentou que a má utilização da noção de narcisismo trazia o risco de desvirtuar a pesquisa psicanalítica, subestimando a função das pulsões sexuais, cuja prevalência ele relembrou mais uma vez. Finalmente, esses debates levaram-no a elaborar uma verdadeira teoria do narcisismo.

Quando reunimos todas as proposições de Freud sobre o narcisismo, descobrimos algumas contradições, devidas, em parte, aos remanejamentos sucessivos da teoria. Mais do que seguir sua evolução ao longo dos textos, tentaremos aqui destacar as linhas mestras da elaboração freudiana.

Foi em 1911 que Freud, em seu estudo sobre a psicose do presidente Schreber, postulou pela primeira vez o narcisismo como um estágio normal da evolução da libido. Convém lembrarmos que, com o termo "libido", Freud designa a energia sexual que parte do corpo e investe os objetos.

Narcisismo primário e narcisismo secundário

Freud distinguiu dois narcisismos, o primário e o secundário, que abordaremos sequencialmente. Em 1914, em seu artigo dedicado à "introdução" ao narcisismo, definiu o narcisismo primário como um estado que não podemos observar diretamente, mas cuja hipótese devemos formular por um raciocínio recorrente.

Originalmente, não existe uma unidade comparável ao eu; este só se desenvolve muito progressivamente. O primeiro modo de satisfação da libido seria o autoerotismo, isto é, o prazer que um órgão retira de si mesmo; as pulsões parciais procuram, cada qual por si, sua satisfação no próprio corpo. Esse é o tipo de satisfação que, para Freud, caracteriza o narcisismo primário, enquanto o eu como tal ainda não se constituiu. Os objetos então investidos pelas pulsões são as próprias partes do corpo (*Fig. 1*).

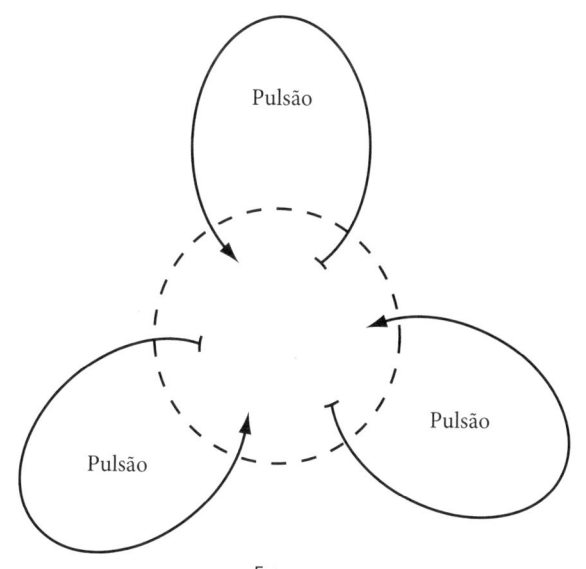

FIGURA 1
Narcisismo primário, em que cada pulsão se satisfaz autoeroticamente no próprio corpo.

Em 1914, Freud colocou em relevo a posição dos pais na constituição do narcisismo primário: "O amor dos pais pelo filho equivale a seu narcisismo recém-renascido", escreveu.[2] Produz-se uma "revivescência", uma "reprodução" do narcisismo dos pais, que atribuem ao filho todas as perfeições e projetam nele todos os sonhos a que eles mesmos tiveram de renunciar. "Sua Majestade o

O ideal do eu rege o narcisismo secundário

A libido retorna secundariamente para o eu

Libido

OBJETO

EU

Narcisismo primário

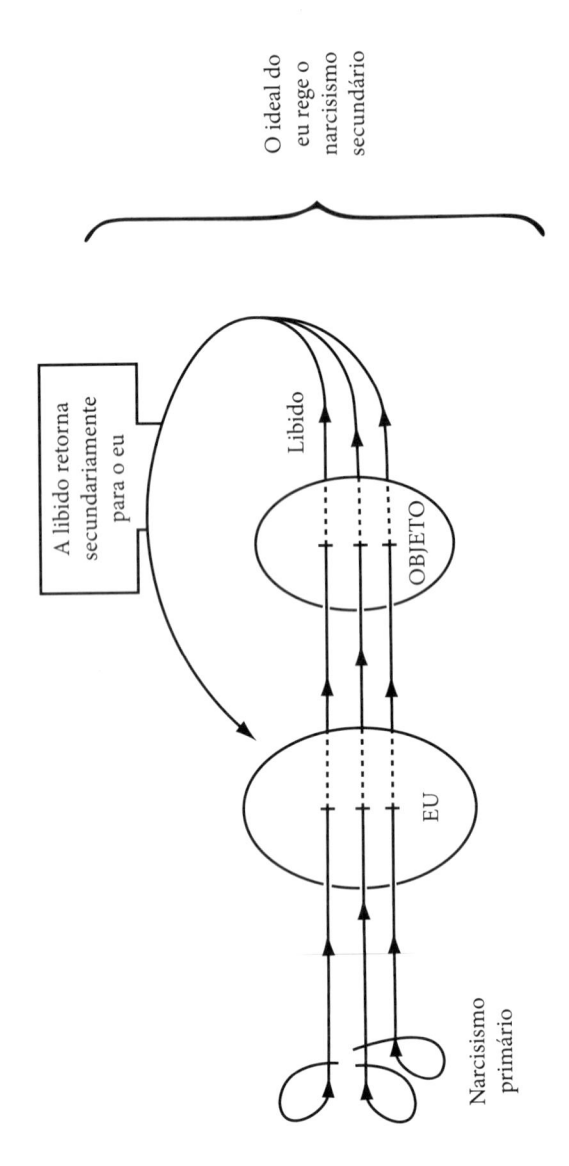

FIGURA 2
Movimento da libido no narcisismo secundário.

Bebê" realizará "os sonhos de desejo que os pais não puseram em prática", assim garantindo a imortalidade de seu eu. O narcisismo primário representa, de certa forma, uma espécie de onipotência que se cria no encontro entre o narcisismo nascente do bebê e o narcisismo renascente dos pais. Nesse espaço viriam inscrever-se as imagens e as palavras dos pais, da mesma forma que os votos que, segundo a imagem de François Perrier, são pronunciados pelas fadas boas e más sobre o berço do neném.[3]

Situemos agora o narcisismo secundário, que corresponde ao narcisismo do eu; é necessário que se produza um retorno do investimento dos objetos, transformado em investimento do eu, para que se constitua o narcisismo secundário. A passagem para o narcisismo secundário pressupõe, portanto, dois movimentos,[4] que poderemos acompanhar no esquema anterior (*Fig. 2*):

a. Segundo Freud, o sujeito concentra num objeto suas pulsões sexuais parciais "que, até esse momento, funcionavam segundo a modalidade autoerótica"; a libido investe o objeto, já que a primazia das zonas genitais ainda não foi instaurada.
b. Posteriormente, esses investimentos retornam para o eu. A libido toma então o eu como objeto.

Por que a criança sai do narcisismo primário? A criança sai dele quando seu eu se vê confrontado com um ideal com o qual tem de se comparar, ideal este que se formou fora dela e que lhe é imposto de fora.

Com efeito, a criança é progressivamente submetida às exigências do mundo que a cerca, exigências estas que se traduzem simbolicamente através da linguagem. A mãe fala com ela, mas também se dirige a outras pessoas. Assim, o filho percebe que ela também deseja fora dele e que ele não é tudo para ela: essa é a ferida infligida ao narcisismo primário da criança. A partir daí, o objetivo consistirá em fazer-se amar pelo outro, em agradá-lo para reconquistar seu amor; mas isso só pode ser feito através da satisfação de certas exigências, as do *ideal do eu*. Esse conceito designa, em Freud, as representações culturais e sociais, os imperativos éticos tal como são transmitidos pelos pais.

Para Freud, o desenvolvimento do eu consiste em distanciar-se do narcisismo primário. Na realidade, o eu "aspira intensamente" a reencontrá-lo, e para isso, para recuperar o amor e a perfeição narcísica, passa pela mediação do ideal do eu. O que fica perdido é o imediatismo do amor. Enquanto, com o narcisismo primário, o outro era o si mesmo, a partir daí só é possível experimentar-se através do outro. Mas o elemento mais importante que vem perturbar o narcisismo primário não é outra coisa senão o "complexo de castração". É através dele que se opera o reconhecimento de uma incompletude que desperta o desejo de recuperar a perfeição narcísica.

Imagem do eu e objeto sexual

A instauração do narcisismo, tal como acabamos de situá-la, inclui uma imagem do objeto e uma imagem do eu; consideraremos agora essas imagens em sua relação com o investimento sexual.

Voltemos às colocações de Freud sobre a escolha de objeto de amor entre os homossexuais: eles se tornam seu próprio objeto sexual, diz Freud, ou seja, "partindo do narcisismo, procuram adolescentes que se pareçam com eles e a quem querem amar como sua mãe os amou".[5] Amar a si mesmo através de um semelhante é aquilo a que Freud chama "escolha objetal narcísica".[6] E ele esclarece que todo amor objetal comporta uma parcela de narcisismo.[7] A propósito do presidente Schreber, Freud observou que à "superestima sexual do ego corresponde a superestima do objeto de amor".[8] Assim, podemos destacar dos textos freudianos a ideia de que o eu representa um reflexo do objeto: dito de outra maneira, ele é talhado à imagem do objeto. Mas é importante sublinhar que essa imagem amada constitui uma imagem sexualmente investida. No caso do homossexualismo, trata-se de uma imagem que representa o que a mãe deseja; ao amar essa imagem, o homossexual toma a si mesmo como objeto sexual.

A propósito da escolha de objeto narcísica, Freud evoca também um estado em que "a mulher se basta a si mesma", não ama, estritamente falando, senão a si mesma, e procura despertar cobiça mostrando-se. O narcisismo é então entendido como o investimento da própria imagem de si sob a forma de um falo.

No tocante a essa relação da imagem do eu com a imagem do objeto, as proposições freudianas se esclarecem graças à teoria da identificação.

Narcisismo e identificação

Freud concebeu a identificação narcísica em 1917, a partir do estudo do luto e da melancolia: o eu se identifica com a imagem de um objeto desejado e perdido. Na melancolia, o investimento do objeto volta-se para o eu, "a sombra do objeto recai sobre o ego", diz Freud.[9] A identificação do eu com a imagem total do objeto representa uma regressão a um modo arcaico de identificação, no qual o eu se encontra numa relação de incorporação com o objeto. Esse estudo constituiu um avanço importante para a teoria do narcisismo e, como ocorre frequentemente na elaboração freudiana, a análise dos fenômenos patológicos permitiria trazer à luz os processos normais.

Depois de 1920, Freud enunciou claramente as proposições gerais nascidas desse estudo da melancolia. Esclareceu, sobretudo, que "o narcisismo do ego é um narcisismo secundário, retirado dos objetos",[10] e afirmou que "a libido que aflui para o ego pelas identificações constitui seu narcisismo secundário".[11]

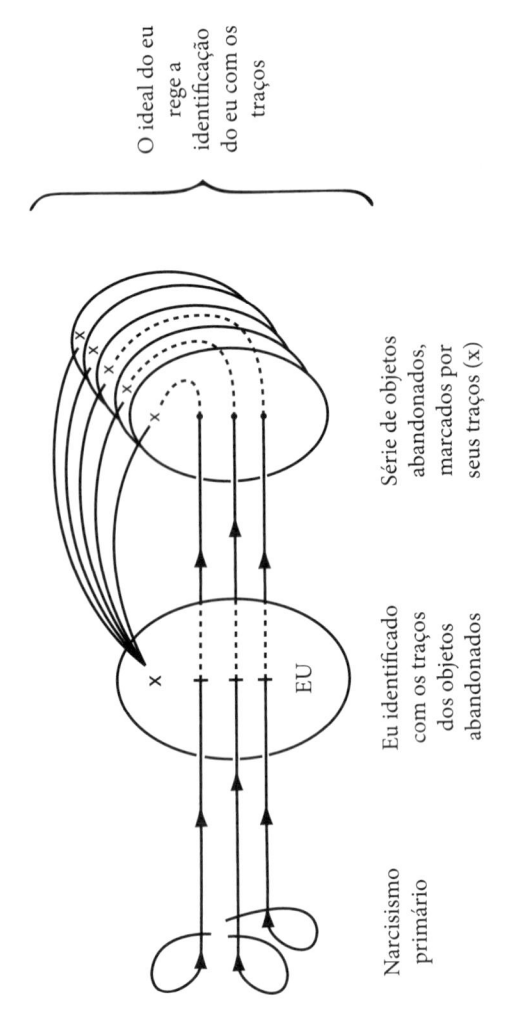

FIGURA 3
Movimento da libido na identificação do eu com os traços.

Assim, a transformação dos investimentos de objeto em identificações contribui com uma parcela importante para a formação do eu. O eu resulta, pois, da "sedimentação dos investimentos de objetos abandonados"; contém, de certa maneira, "a história de suas escolhas objetais".[12] Nessa medida, podemos considerar que o eu resulta de uma série de "traços" do objeto que se inscrevem inconscientemente: o eu assume os traços do objeto (*Fig. 3*). Podemos assim fazer uma representação do eu como uma cebola formada por diferentes camadas de identificações com o outro.

No final das contas, o narcisismo secundário se define como o investimento libidinal (sexual) da imagem do eu, sendo essa imagem constituída pelas identificações do eu com as imagens dos objetos.

Neuroses narcísicas e estases da libido

Em seu artigo de 1914, Freud tentou responder, a partir de sua teoria do narcisismo, à questão da escolha da doença: por que alguém se torna histérico, por exemplo, e não paranoico?

Destaca-se daí que o neurótico mantém uma relação erótica com os objetos por intermédio das fantasias, ao passo que, nos casos de demência precoce e esquizofrenia (afecções que Freud denomina de "neuroses narcísicas"), os sujeitos "realmente" retiraram sua libido das pessoas e do mundo exterior. Nessas duas enfermidades narcísicas, produz-se uma retirada da libido com a qual o objeto estava investido. Por isso o eu acumula toda a libido, que ali se estagna, e o objeto se separa dele. O corte do objeto é correlato a uma suspensão da circulação da libido.

Podemos representar esse corte no esquema da *Fig. 4*.

Convém esclarecermos que, segundo Freud, o neurótico abandona igualmente sua relação com a realidade; mas sua libido per-

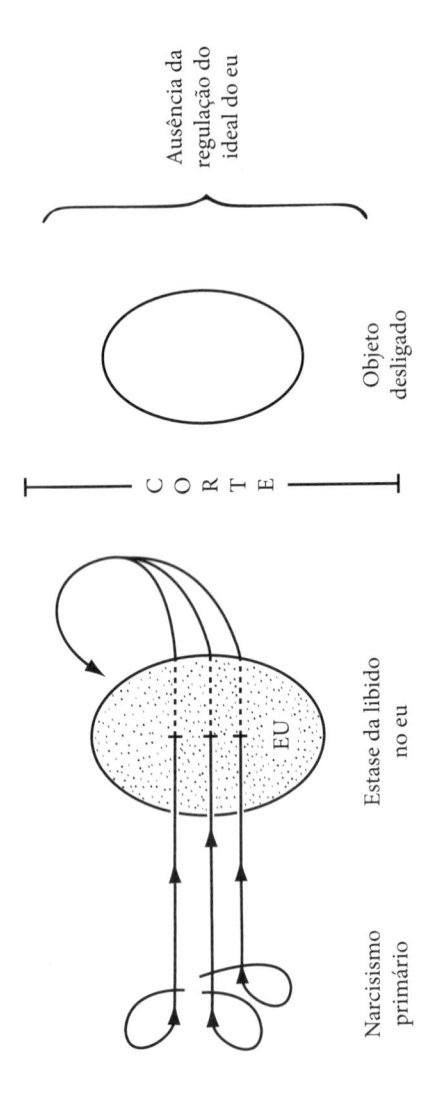

FIGURA 4
Movimento da libido no narcisismo da psicose.

manece ligada, na fantasia, a certas partes do objeto: "Ele substitui os objetos reais por objetos imaginários de sua lembrança, ou então mistura uns com os outros."[13]

Nesse mesmo artigo de 1914, Freud descreve outras formas de "estases da libido", que representam outras vias que permitem abordar a questão do narcisismo: trata-se da doença orgânica e da hipocondria. Na doença orgânica, o doente retira rigorosamente todo o seu "interesse libidinal" do mundo externo e de seus objetos de amor, enquanto há uma reversão da libido para seu eu. Para ilustrar isso, Freud cita uma frase sumamente evocadora de W. Busch, a propósito da dor de dentes do poeta: "Sua alma se espreme no buraco estreito do molar." A libido não circula mais quando tal superinvestimento narcísico é exercido no "representante psíquico do local doloroso do corpo".[14] E Freud mostra que a libido e o interesse do eu são aqui impossíveis de diferenciar.

A modificação da libido revela-se totalmente semelhante no caso da hipocondria, em que, com efeito, não é determinante que a doença seja real ou imaginária. O hipocondríaco investe uma zona de seu corpo, que assume o valor de órgão sexual em estado de excitação; sendo a erogeneidade uma propriedade geral de todos os órgãos, qualquer parte do corpo pode ver-se investida como um órgão genital dolorosamente sensível. E, também nesse caso, a libido para de circular. Assim, Freud descreve duas configurações em que o narcisismo é como que fixado; sem que o corte com o objeto seja total, elas produzem um "redobramento narcísico" que susta o movimento do desejo.

Estando assim traçadas as linhas principais que se destacam dos textos freudianos, veremos agora como Lacan retoma e dá continuidade à elaboração do conceito de narcisismo.

O conceito de narcisismo em Lacan

Primeiro período (1932-1953)

Os primeiros textos de Jacques Lacan abordam a questão do narcisismo a partir do estudo da paranoia. Por ocasião de sua investigação sobre o caso Aimée, em 1932, ele se apoiou na noção freudiana de "escolha de objeto narcísica", bem como num artigo de 1922 em que Freud se dedicara à análise dos mecanismos neuróticos do ciúme, da paranoia e do homossexualismo.

Recordemos que, depois de ter tentado assassinar uma atriz célebre, Aimée foi internada no hospital Sainte-Anne. Foi ali que Lacan a conheceu. Pela observação verificou-se que, no caso de Aimée, a libido ficara fixada na imagem de sua irmã: ela só via a si mesma na imagem da irmã. E esse objeto adorado se apresentava, simultaneamente, como um objeto invasivo e persecutório: existia em Aimée um amor desvairado pela imagem do perseguidor, acompanhado por uma verdadeira negação dela mesma.

Segundo Lacan, a hostilidade de Aimée para com a irmã havia-se deslocado para outras mulheres, e a tentativa de assassinato da atriz correspondera a uma reação defensiva contra a intromissão invasiva do objeto adorado. Tal reação torna-se inteligível quando assinalamos que, em todo sujeito, narcisismo e agressividade são correlativos e contemporâneos na época da formação do eu. Com efeito, visto que o eu se forma a partir da imagem do outro, produz-se uma tensão quando o sujeito vê seu próprio corpo na imagem do outro; ele percebe seu próprio domínio realizado no outro, e, não obstante, este último permanece estranho.

No caso de Aimée, que ficara fixada e aprisionada na imagem da irmã, tinha-se tornado necessário suprimir essa imagem para sustar a tensão e fazer a libido voltar-se para o eu. A referência ao ideal do eu, de fato, parece ausente em Aimée; nada vinha regular e mediatizar sua relação imaginária com o outro.

O estudo da paranoia, portanto, é que levaria Lacan a expor e aprofundar os processos essenciais da formação do eu. A continuação dessas pesquisas o levaria, em 1936, à teoria do "estádio do espelho", que representa, pois, o próprio nascimento do eu. Apresentaremos sucintamente suas características.

O eu está ligado à imagem do corpo próprio. A criança vê sua imagem total refletida pelo espelho, mas existe uma discordância entre essa visão global da forma de seu corpo, que precipita a formação do eu, e o estado de dependência e de impotência motora em que ela se encontra na realidade. Lacan enfatiza, nesse ponto, a prematuridade, a condição de impotência da criança, que seria a razão de tal alienação imaginária no espelho. Ele mostra como a criança antecipa, através dessa experiência, o domínio de seu corpo: enquanto, antes, vivenciava-se como um corpo despedaçado, agora ela se acha cativada, fascinada por essa imagem do espelho, e se rejubila. Mas trata-se de uma imagem ideal dela mesma, à qual ela jamais conseguirá unir-se. A criança se identifica com essa imagem e fixa-se então numa "estatura". Toma-se pela imagem e conclui: "a imagem sou eu", embora essa imagem se situe do lado de fora, externa a ela. Aí está o que Lacan chama de identificação primordial com uma imagem ideal de si mesmo.

Falamos anteriormente sobre a formação do eu com referência à imagem do semelhante; dissemos que o eu se forma através da imagem do outro. De fato, o outro representa igualmente um espelho:

a. De início, a criança rivaliza com sua própria imagem no espelho. Mas essa é, afinal, a única vez, fugidia, em que ela realmente vê sua imagem total.
b. Essa identificação prepara a identificação com o semelhante, no decorrer da qual a criança rivalizará com a imagem do ou-

64   *Os 7 conceitos cruciais da psicanálise*

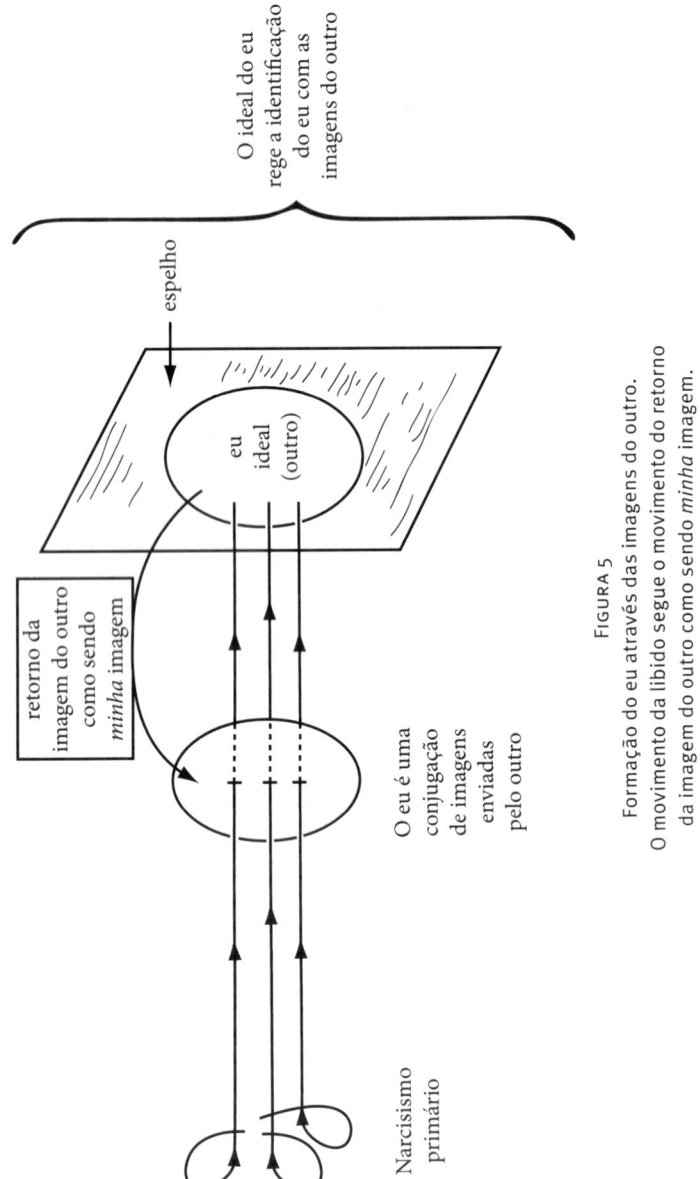

O ideal do eu rege a identificação do eu com as imagens do outro

espelho

eu ideal (outro)

retorno da imagem do outro como sendo *minha* imagem

O eu é uma conjugação de imagens enviadas pelo outro

Narcisismo primário

FIGURA 5
Formação do eu através das imagens do outro.
O movimento da libido segue o movimento do retorno da imagem do outro como sendo *minha* imagem.

tro. Aqui, é o outro que possui sua imagem, o corpo do outro é sua imagem.

A imagem no espelho e a imagem no semelhante encontram-se no mesmo lugar no esquema, sob a forma de um "eu ideal" (*Fig. 5*). Ao longo desse período, que foi de 1932 a 1953, Lacan elaborou sua teoria do narcisismo através de suas investigações sobre a paranoia, a formação do eu e a agressividade. Finalmente, formulou diversas proposições novas:

a. O eu reduz-se ao narcisismo: não é assemelhável, de maneira alguma, a um sujeito do conhecimento no contexto do sistema "percepção-consciência". O eu não é outra coisa senão a captação imaginária que caracteriza o narcisismo.
b. O estádio do espelho está situado no próprio nascimento do *eu*.[15]
c. Narcisismo e agressividade constituem-se num único tempo, que seria o da formação do eu na imagem do outro. Quanto a Freud, ele os situou em dois momentos diferentes em seu artigo de 1922:[16] primeiro a agressividade, e depois a conversão em amor através da escolha objetal narcísica.
d. Por fim, Lacan conservou do estudo da paranoia um aspecto essencial, que considerou como um traço universal: o eu possui uma estrutura paranoica, é um lugar de desconhecimento; isso quer dizer que não reconheço o que está em mim, vejo-o do lado de fora, no outro (como o mostra, em particular, a análise da projeção no ciúme).

Segundo período (1953-1958)

Ao longo desse período, Lacan insistiu no primado do simbólico.

Imagem e desejo

Ao longo de todo o *Seminário 1*, sobre *Os escritos técnicos de Freud*, Lacan conduz uma reflexão sobre a questão da relação com o semelhante.

Devido à identificação narcísica com o outro, a criança acha-se fascinada, cativada pela imagem do outro que encarna uma posição de domínio. Suponhamos que ela veja seu irmãozinho mamando no seio da mãe: é nessa imagem do outro que a criança então se localiza, reconhece seu próprio desejo. É por ela se identificar com esse outro que seu desejo aparece como o desejo do outro. E, prontamente, ela quer estar no lugar dele. É um movimento de báscula, diz Lacan, de troca com o outro, que o homem se experimenta como corpo, como forma do corpo. É que o primeiro impulso do apetite e do desejo passa, no sujeito humano, pela mediação de uma forma que ele vê projetada, externa a ele, primeiro em seu próprio reflexo e, depois, no outro. O desejo originário, confuso, que se exprime no choro do bebê, é invertido no outro que ele aprende a reconhecê-lo.

A imagem narcísica constitui, assim, uma das condições do aparecimento do desejo e de seu reconhecimento. A imagem do corpo "é o anel, o gargalo, pelo qual o feixe confuso do desejo e das necessidades deverá passar ...".[17]

A mediação do ideal do eu

Voltemos à relação dual com o semelhante: dissemos que a criança é capturada pela imagem do outro e que percebe seu desejo no outro. Assim, estabelece-se uma tensão: seria preciso destruir esse outro que é o mesmo, destruir aquele que representa a sede da alienação. A criança vê seu domínio e seu desejo realizados no outro, de modo que, no cerne dessa lógica especular pura, é levada ao desejo de matar o outro. Tal relação dual torna-se efetivamente impossível de viver, não havendo saída satisfatória nessa relação entre um eu e um eu ideal, pois não há subjetivação: o sujeito não se reconhece ali, porque está apenas capturado ali. De fato, é o ideal do eu – simbólico – que pode regular as relações entre um eu e um eu ideal.

O ideal do eu corresponde, como vimos, a um conjunto de traços simbólicos implicados pela linguagem, pela sociedade e pelas leis. Esses traços são introjetados e fazem a mediação na relação dual imaginária: o sujeito encontra um lugar para si num ponto – o ideal do eu – de onde se vê como passível de ser amado, na medida em que satisfaça a certas exigências. O simbólico passa a prevalecer sobre o imaginário, o ideal do eu sobre o eu. Assim, o simbólico superpõe-se ao imaginário e o organiza. Em 1954, Lacan diria que é o ideal do eu, simbólico, que sustenta o narcisismo. O ideal do eu representa uma introjeção simbólica (em oposição ao eu ideal, assimilado a uma projeção imaginária) que se constrói com o significante do pai como terceiro na relação dual com a mãe.

Narcisismo e inscrição dos significantes

Recapitulemos:
- o eu se origina no espelho;
- o outro é um espelho;
- é a ordem da linguagem, ordem simbólica, que sustenta o narcisismo, organizando uma mediação entre o eu e o semelhante.

Por fim, para que servem as imagens? O mundo simbólico é preexistente ao sujeito, já está ali; entretanto, para se revelarem, os símbolos têm que passar pelo suporte corporal. O que acontece no nível simbólico acontece nos seres vivos. O eu e a relação imaginária com o outro são indispensáveis para que se produza uma inserção da realidade simbólica (a linguagem, a lei etc.) na realidade do sujeito.

Em 1955, no *Seminário 2* sobre o eu, Lacan retorna à questão do narcisismo: para que se estabeleça uma relação com o objeto do desejo, é preciso que haja uma relação narcísica do eu com o outro. O narcisismo representa a condição necessária para que os desejos dos outros se inscrevam, ou para que os significantes se inscrevam. Uma definição possível do significante, entre outras, seria esta: um elemento de uma cadeia de linguagem em que o desejo do outro se inscreve. E a imagem do corpo fornece o quadro das inscrições significantes do desejo do outro. A imagem do corpo representa o primeiro ponto de engate dos significantes e, inicialmente, dos significantes da mãe. O modo como eles se inscrevem, sobretudo a sucessão das identificações, determina as modalidades segundo as quais se farão as flutuações libidinais.

De fato, a imagem do outro aparece então como fragmentada: são séries de imagens, um conjunto de traços que o sujeito investe.

Existe para cada sujeito uma série de significantes privilegiados, uma série de elemento em que o desejo do outro se inscreve, e esses significantes se revelam para ele na relação imaginária com o semelhante. Ganham efeito, adquirem consistência na relação narcísica com o outro. Ilustremos essas proposições com o auxílio de uma sequência clínica apresentada em 1930 por Hélène Deutsch e comentada por Lacan em 7 de maio de 1969, durante seu seminário intitulado *De um outro ao Outro*. Trata-se da história de uma fobia infantil narrada por um homem de vinte anos. Quando contava sete anos de idade, ele estava brincando com seu irmão mais velho no quintal da granja onde fora criado. Estava agachado quando, bruscamente, o irmão pulou em cima dele, por trás, imobilizou-o nessa posição e disse: "Eu sou o galo e você é a galinha!" O menino recusou-se a ser a galinha e caiu em prantos, no auge da raiva. A partir desse momento, ficou com uma fobia às galinhas. Esse episódio com o irmão agiu como um revelador: fez saber ao sujeito o que ele era antes, sem que se apercebesse, em sua relação com a mãe. De fato, fazia muito tempo que o menino cuidava do galinheiro com a mãe, e os dois iam juntos ver se as galinhas estavam pondo ovos corretamente. O menino gostava da maneira como a mãe o tocava e lhe perguntava, à guisa de brincadeira, antes de lhe dar banho, se devia tocá-lo com o dedo para ver se ele ia pôr um ovo. Ele estava no lugar da galinha para a mãe, estava na situação de suprir a falta da mãe, encarnando a "galinha" dela e podendo fornecer-lhe ovos fecais. Assim, estava dedicado ao gozo da mãe, sem ver surgir a questão de seu desejo e de sua falta.

Essa sequência mostra que foi realmente na relação narcísica com o semelhante, através da imagem remetida pelo semelhante, que o significante "galinha" revelou-se ao sujeito. Foi na relação imaginária com o outro que lhe foi revelado o que ele era, havia muito tempo, sem o saber.

Terceiro período (a partir de 1960)

Durante esse período Lacan dedicou-se muito particularmente à questão do real; no tocante ao narcisismo, foram abordadas sobretudo as relações da imagem e da pulsão (notadamente nos seminários sobre a Transferência, a Identificação, os Quatro Conceitos Fundamentais da Psicanálise e, posteriormente, em "Subversão do Sujeito e Dialética do Desejo"). Nas considerações que se seguem, vamos apoiar-nos principalmente no seminário de J.-D Nasio dos anos 1985 e 1986, *La Douleur Inconsciente* [A Dor Inconsciente] e *Le Regard en Psychanalyse* [O Olhar em Psicanálise].

Lacan voltou à dialética do estádio do espelho e assinalou que a visão da imagem no outro não basta, por si só, para constituir a

{ O ideal do eu rege a relação do eu furado com a imagem furada do outro

Imagem do outro
$i(a)$

EU

Narcisismo primário

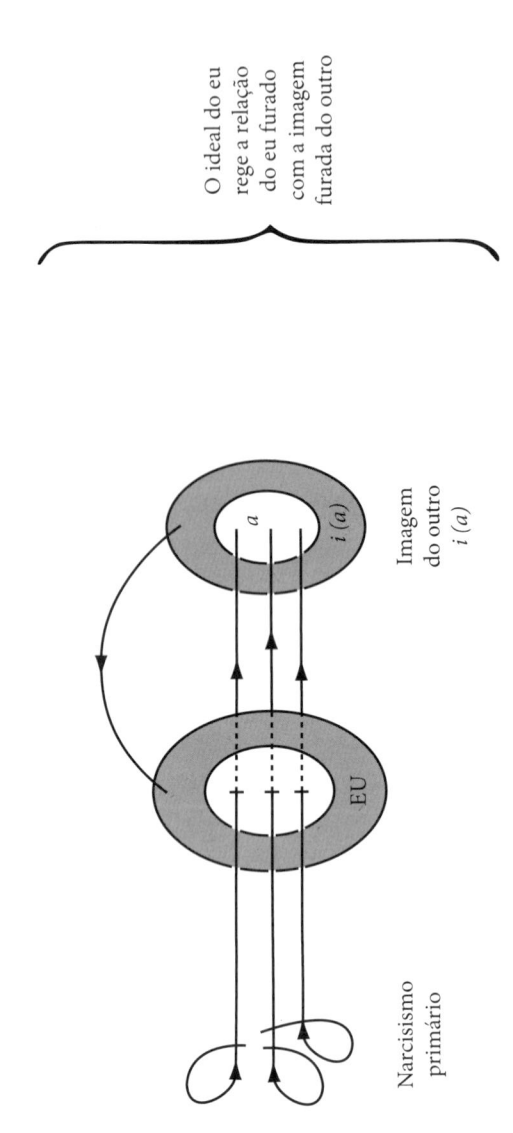

FIGURA 6
Movimento de ida e volta entre a imagem do eu furado e a imagem do outro furado.

imagem do corpo próprio, caso contrário, o cego não disporia de um eu! O importante, para que a imagem se mantenha, é a existência de um furo nessa imagem: posso ver minha imagem no espelho, mas o que não posso ver é meu próprio olhar. Correlativamente, a imagem que o outro me envia não é completa, permanece furada, porque o outro é também um ser pulsional.

Consideremos esses elementos em relação à fase do espelho. Quando vê sua própria imagem, a criança se volta para a mãe; aqui, dois aspectos são essenciais:

- de um lado, a criança espera dela um sinal, um assentimento, um "sim"; chama a mãe em sua dimensão simbólica, aquela que nomeia, que reúne na nomeação;
- de outro lado, ela vê que a mãe a olha: percebe o olhar, o desejo da mãe; confronta-se então com a mãe pulsional, a que é faltosa, e portanto, desejante.

Já que o outro é pulsional, um furo subsiste em seu domínio, um branco ou uma mancha em sua imagem. Existe, pois, a libido que não é recoberta pela imagem, resta uma parcela sexual que fura a imagem. Esse furo na imagem é o que Lacan chama de $-\varphi$ (falo imaginário). É diante desse furo que surge a angústia.

A imagem sempre contém, portanto, uma parte real, ou seja, uma parte do sexual que ela não cobre. E é nesse furo que se vêm colocar os objetos pulsionais, é nesse furo da imagem que se vem alojar o objeto *a*, causa do desejo.

Retomemos o esquema (*Fig. 6*).

O objeto da pulsão nunca se apresenta despido, é preciso que seja revestido de imagens. A relação do sujeito com a pulsão jamais se oferece sem que existam imagens remetidas pelo semelhante. Por fim, o narcisismo vem dar sua roupagem ao objeto pulsional, envolve-o – o que Lacan escreve como *i (a)*. Pusemos a letra *a* no furo da imagem, e *i (a)* a circunda no esquema. O eu, o narcisismo, compõe-se portanto de um conjunto de imagens investidas que circulam em torno de uma falta; trata-se de uma montagem ao redor de um furo. Esse furo real representa a causa da montagem do narcisismo, e as imagens investidas permitem adaptar-se a essa hiância.

Mas cabe notar, desde logo, que esse furo real é duplicado por um outro furo, inerente ao mundo simbólico. Existe uma relação de reduplicação entre duas faltas. O outro, o Outrão da linguagem, tesouro dos significantes, revela-se igualmente furado: o Outro é incapaz de dar à criança um significante adequado, um significante que a satisfaça. Ilustremos isso: a mãe pode dizer "você é bonito", "você é meu menininho" etc., mas um significante que o signifique por inteiro em seu ser permanece impossível de dizer. Surge imediatamente uma falta no campo da linguagem, causando a retomada da fala e do desejo quando se superpõe ao furo pulsional.

Voltemos agora ao eu: o que aparece a partir de então como sua característica essencial é que ele se apresenta "furado". Além disso, minha própria imagem e a imagem do outro surgem realmente como uma única e mesma instância: o eu, enquanto reunião de imagens.

Narcisismo e transferência

Freud designava o "redobramento narcísico" como um impasse, e, a propósito do amor transferencial, observou que a fixação amorosa do paciente na pessoa do analista tornava o trabalho analítico muito difícil. Com efeito, a libido enquista-se então numa formação em que o objeto é tratado como o eu.

No entanto, o impulso da libido para o analista representa um movimento essencial para a transferência; é preciso que subsistam no paciente as "forças motoras que favorecem o trabalho e a mudança".[18] Dito de outra maneira, o amor, que comporta sempre uma parcela de narcisismo, constitui um movimento necessário à instauração da transferência, sob a condição de não cristalizar uma relação de "multidão de dois".[19] As imagens narcisicamente investidas não devem deter o movimento da libido, mas apenas canalizá-lo.

Quanto a Lacan, sua posição evolui através dos três períodos que foram apresentados:

- Em 1936, quando Lacan trabalha a questão do narcisismo a partir do estádio do espelho, o eu do analista toma justamente o lugar de um espelho na concepção da transferência. E nesse espelho, nessa tela virgem, supõe-se que o paciente vai reconstituindo sua própria imagem à medida que formula aquilo de que sofre.[20] O paciente ignora, de fato, todos os elementos da imagem que o faz agir e que determina seu sintoma; por isso é que o analista lhe comunica "o destino dessa imagem".
- A partir de 1953, quando se afirma a primazia do simbólico, Lacan se apercebe de que tal processo se assenta num domínio narcísico ilusório. O eu aparece então como puro lugar de desconhecimento e alienação: constitui um conjunto de certezas e crenças com as quais o indivíduo se cega. Por isso o eu do analista deve ausentar-se totalmente, para dar lugar aos efeitos da linguagem. E o que o analista comunica torna-se menos importante do que "o lugar de onde ele responde",[21] isto é, do lugar do Outro, lugar da linguagem.
- Por último, a partir de 1964 surge novamente a necessidade de um apoio nas imagens para que o desejo circule. Ao mesmo tempo, a presença corporal do analista volta a se tornar um ponto de ancoragem necessário. Embora presente, porém, o eu do analista já não se dá como uma superfície lisa, ele é furado:

o analisando concentra-se nas imagens, agarra-se a *i (a)*, e vê pouco a pouco o objeto *a*, objeto de seu desejo, destacar-se delas. Para que os movimentos pulsionais parem de se fixar nas imagens, e para que se cubra a distância entre as imagens e os objetos do desejo, o eu do analista se presentifica sob a forma de um "canal" furado.

Aí estão, portanto, rapidamente apresentadas, as modificações que a teoria do narcisismo pôde trazer para a concepção da transferência. E assinalemos que Lacan parece aproximar-se mais da teoria freudiana em sua última formulação sobre a relação entre o narcisismo e a transferência.

É lícito pensarmos que a evolução da teoria de Lacan, no tocante ao lugar do eu na cura, evoca parcialmente o próprio encaminhamento do eu no correr de uma análise.

A psicanálise não despreza o eu: visa, entre outras coisas, à fragmentação de uma imagem ou de uma postura que se oferece num primeiro momento numa miragem de domínio. Ao se colocarem em jogo as hiâncias pulsionais e os furos do discurso, produz-se um reviramento da superfície eu-oica num canal revestido de imagens. Submergido pela linguagem nos círculos da demanda e do desejo, o eu se fragmenta em estilhaços. Mas não se trata de estilhaços desordenados, pois estão amarrados ao movimento de reimpulsionamento do desejo: o processo analítico acarreta uma orbitação das imagens em torno dos objetos que são causa do desejo.

Citações das obras de S. Freud e J. Lacan sobre o narcisismo

Freud

O narcisismo primário é um pressuposto teórico necessário

O narcisismo primário da criança, cuja existência supusemos e que constitui uma das pressuposições de nossas teorias sobre a libido, é menos fácil de apreender pela observação direta do que de confirmar por um raciocínio recorrente.[1] (1914)

O narcisismo primário é o estado do eu que contém toda a libido disponível

Tudo o que sabemos [da libido] concerne ao ego, onde se acumula, de início, toda a carga disponível de libido. É a esse estado de coisas que damos o nome de *narcisismo* primário absoluto … . Durante toda a vida, o ego permanece como o grande reservatório de onde os investimentos libidinais partem para os objetos e também para onde eles são reconduzidos, à maneira de uma massa protoplásmica que estende ou retrai seus pseudópodes.[2] (1938)

O narcisismo da criança constrói-se a partir da revivescência do narcisismo dos pais

Se considerarmos a atitude dos pais ternos perante seus filhos, seremos obrigados a reconhecer nela a revivescência e a reprodução de seu próprio narcisismo, que eles haviam abandonado desde longa data.³ (1914)

O narcisismo secundário é um estado situado entre o autoerotismo e o vínculo com o objeto

A princípio eu só havia distinguido duas fases: a do autoerotismo ... ; depois, a da concentração de todas as pulsões parciais numa escolha de objeto .... Sabemos que a análise da parafrenia nos obrigou a inserir entre essas fases o estágio do narcisismo, no qual a escolha de objeto já se dá, mas onde o objeto ainda coincide com o próprio ego.⁴ (1913)

O narcisismo secundário constrói-se graças ao retorno da libido retirada dos objetos

Esse narcisismo que surgiu fazendo retornar os investimentos objetais, eis-nos pois levados a concebê-lo como um estado secundário, construído com base num narcisismo primário que foi obscurecido por múltiplas influências.⁵ (1914)

No estado do narcisismo, a libido investe o eu como um objeto sexual

Concluímos daí que, na paranoia, a libido liberada fixa-se no ego, que é empregada na ampliação do ego. Há assim um retorno ao estágio do narcisismo que já nos é conhecido como sendo um dos estágios da evolução da libido, no qual o ego do sujeito era o único objeto sexual.⁶ (1911)

Quando o ego adota os traços do objeto, ele como que impõe a si mesmo ao id como objeto de amor, procura substituir para ele o que perdeu, dizendo: "Você também pode amar a mim, veja como me pareço com o objeto."[7] (1923)

Lacan

O eu nasce na alienação passional numa imagem

Essa relação erótica em que o indivíduo humano se fixa numa imagem que o aliena em si mesmo, aí está a energia e aí está a forma de onde se origina a organização passional que ele chamará de seu *eu*.[8]

O eu se fixa com ódio na imagem narcísica enviada pelo outro

Em qualquer relação narcísica, o eu é, com efeito, o outro, e o outro é o eu.[9]

... o que o sujeito encontra nessa imagem alterada de seu corpo é o paradigma de todas as formas da semelhança que levarão para o mundo dos objetos um toque de hostilidade, projetando nele o avatar da imagem narcísica, que, do efeito jubilatório de seu encontro no espelho, torna-se, no confronto com o semelhante, o escoadouro da mais íntima agressividade.

É essa imagem que se fixa, eu ideal, desde o ponto onde o sujeito se detém como ideal do eu.[10]

A criança acede à ordem simbólica através da ordem imaginária

... os desejos da criança passam primeiro pelo outro especular. Aí é que são aprovados ou reprovados, aceitos ou recusados. E é através disso que a criança faz a aprendizagem da ordem simbólica e acede a seu fundamento, que é a lei.[11]

O sujeito localiza e reconhece originalmente o desejo por intermédio, não apenas de sua própria imagem, mas [da imagem] do corpo de seu semelhante.[12]

A imagem narcísica cobre o objeto do desejo

Não é senão da vestimenta da imagem de si, que vem envolver o objeto causa do desejo, que se sustenta mais frequentemente – é mesmo a articulação da análise – a relação objetal.[13]

BIBLIOGRAFIA DAS CITAÇÕES

1. "Pour Introduire le Narcissisme", in *La Vie Sexuelle*, PUF, 1969, p.96 ["Sobre o Narcisismo: Introdução", *ESB* vol.XIV].
2. *Abrégé* de *Psychanalyse*, PUF, 1949, p.10 [*Um esboço de psicanálise*, *ESB* vol.XXIII].
3. "Pour Introduire le Narcissisme", loc.cit., p.96.
4. "La Disposition à la Névrose Obsessionelle. Une Contribution au Problème du Choix de la Névrose", in *Névrose, Psychose et Perversion*, PUF, 1973, p.192-3 ["A Predisposição à Neurose Obsessiva", *ESB*. vol.XII].
5. "Pour Introduire le Narcissisme", loc.cit., p.83.
6. "Remarques Psychanalytiques sur l'Autobiographie d'un Cas de Paranoia (Le Président Schreber)", in *Cinq Psychanalyses*, PUF, 1954, p.316 ["Notas Psicanalíticas sobre um Relato Autobiográfico de um Caso de Paranoia (Dementia Paranoides)", *ESB* vol.XII).
7. "Le Moi et le Ça", in *Essais de Psychanalyse*, Payot, 1981, p.242 [*O ego e o id*, *ESB* vol.XIX).

8. *Écrits,* Seuil, 1966, p.113. [Ed. bras.: *Escritos,* Rio de Janeiro, Zahar, 1998, p.115-6]
9. *Le Séminaire,* livre II, *Le Moi dans la Théorie de Freud et dans la Technique de la Psychanalyse,* Seuil, 1978, p.120 [Ed. bras.: *O Seminário,* livro 2, *O eu na teoria de Freud e na técnica da psicanálise,* Rio de Janeiro, Zahar, 2010, p.127].
10. *Écrits,* op.cit., p.809. [Ed. bras.: *Escritos,* op.cit., p.823-4]
11. *Le Séminaire,* livre I, *Les Écrits Techniques de Freud,* Seuil, 1975, p.202 [Ed. bras.: *O Seminário,* livro 1, *Os escritos técnicos de Freud,* Rio de Janeiro, Zahar, 2ª ed., 2009, p.207].
12. Ibid., p.169.
13. *Le Séminaire,* livre XX, *Encore,* Seuil, 1975, p.85 [Ed. bras.: *O Seminário,* livro 20, *Mais, ainda,* Rio de Janeiro, Zahar, 2ª ed., 1985, p.125].

Seleção bibliográfica sobre o narcisismo

Freud, S.

1905   *Trois Essais sur la Théorie de la Sexualité*, Gallimard, 1962, p.126-7, e nota 13 de 1910, p.167-9 [*Três ensaios sobre a teoria da sexualidade*, ESB. vol.VII].
1911   "Remarques Psychanalytiques sur l'Autobiographie d'un Cas de Paranoia (Le Président Schreber)", in *Cinq Psychanalyses*, PUF, 1954, p.306-7, 316 ["Notas Psicanalíticas sobre um Relato Autobiográfico de um Caso de Paranoia (Dementia Paranoides)", *ESB* vol.XII].
1913   "La Disposition à la Névrose Obsessionelle", in *Névrose, Psychose et Perversion*, PUF, 1973, p.192-3 ["A Predisposição à Neurose Obsessiva", *ESB* vol.XII].
1914   "Pour Introduire le Narcissisme", in *La Vie Sexuelle*, PUF, 1969, p.81-105 ["Sobre o Narcisismo: Introdução", *ESB* vol.XIV].
1915   "Pulsions et destins des Pulsions", in *Oeuvres Complètes*, vol.XIII, PUF, 1988, p.176-80, 183 ["As Pulsões e suas Vicissitudes", *ESB* vol.XIV].
1916   "Deuil et Mélancolie", in *Oeuvres Complètes*, vol.XIII, op.cit., p.259-78 ["Luto e Melancolia", *ESB* vol.XIV].
1917   *Introduction à la Psychanalyse*, Payot, 1981, p.392-407 [*Conferências introdutórias sobre psicanálise, ESB* vol.XVI].
1920   "Au-delà du Principe du Plaisir", in *Essais* de *Psychanalyse*, Payot, 1981, p.97-102 ["Além do Princípio do Prazer", *ESB* vol.XVIII].
1921   "Psychologie des Foules et Analyse du Moi", in *Essais* de *Psychanalyse*, op.cit., p.173, 199-202 ["Psicologia das Massas e Análise do Ego", *ESB* vol.XVIII].
1923   "Le Moi et le Ça", in *Essais* de *Psychanalyse*, op.cit., p.227-8, 230, 238, 242, 253, 258-60, 262 [*O ego e o id, ESB* vol.XIX].
1938   *Abrégé* de *Psychanalyse*, PUF., 1949, p.10 [*Um esboço de psicanálise, ESB* vol.XXIII].

Lacan, J.

"Le Cas Aimée ou la Paranoia d'Autopunition", in *De la Psychose Paranoiaque dans ses Rapports avec la Personalité*, Seuil, 1975, p.153-245 [*Da psicose paranoica em suas relações com a personalidade*, Rio de Janeiro, Forense Universitária, 1987].
O Seminário, livro 1, *Os escritos técnicos de Freud*, Rio de Janeiro. Zahar, 2ª ed., 2009, caps. VII-XV.
O Seminário, livro 2, *O eu na teoria de Freud e na técnica da psicanálise*, Rio de Janeiro, Zahar, 2ª ed., 2010, caps. IV, V, VI, VII e XIX.
L'Identification (seminário inédito), aula de 28 de novembro de 1962.
Écrits, Seuil, 1966, p.65-72, 83-5, 93-100, 110-20, 804-27. [Ed. bras.: *Escritos*, Rio de Janeiro, Zahar, 1998, p.69-76, 86-9, 96-103, 112-23, 818-42].
D'un autre à l'Autre, aula de 7 de maio de 1969. [Ed. bras.: *O Seminário*, livro 16, *De um Outro ao outro*, Rio de Janeiro, Zahar, 2008].
Les Non-dupes Errent (seminário inédito), aula de 17 de dezembro de 1974.
R.S.I. (seminário inédito), aula de 16 de novembro de 1976.

Dolto, F. e Nasio, J.-D., *L'Enfant du Miroir*, Rivages, 1987, p.42-7. [Ed. bras.: *A criança do espelho*, Rio de Janeiro, Zahar, 2008].
Federn, P., *La Psychologie du Moi et les Psychoses*, PUF, 1928, p.297-310.
Kernberg, F., "A Propos du Traitement des Personnalités Narcissiques", in *Dix Ans de Psychanalyse en Amérique*, PUF, 1981, p.149-77.
Kohut, H., "Formes et Transformations du Narcissisme", in *Dix Ans...*, op.cit., p.117-45.
Laplanche, J.,"Le moi et le Narcissisme", in *Vie et Mort* en *Psychanalyse*, Flammarion, 1970, p.105-32.
Montrelay, M., "A Propos du Narcissisme et de sa Mise en Scène", in *L'Ombre et le Nom*, Minuit, 1977, p.43-54.
Nasio, J.-D., *Les Yeux de Laure. Le Concept d'Objet a dans la Théorie de J. Lacan*, Aubier, 1987, p.91-100. [Ed. bras.: *Os olhos de Laura: Somos todos loucos em algum recunto de nossas vidas*, Rio de Janeiro, Zahar, 2011].
_____. *La Douleur Inconsciente* (seminário inédito), 1985.
_____ . *Le Regard en Psychanalyse* (seminário inédito), 1986.
Perrier, F., "Narcissisme", in *La Chaussée d'Antin*, Bourgois, 1978, t.II, p.99-115.
Rosolato, G., "Le Narcissisme", in *Nouvelle Revue de Psychanalyse, Narcisses*, nº 13, 1976, p.7-37.

Safouan, M., "L'Amour comme Pulsion de Mort", in *L'Échec du Principe de Plaisir,* Seuil, 1979, p.66-93.

Winnicott, D.W., "Le Rôle de Miroir de la Mère et de la Famille dans le Développement de l'Enfant", in *Jeu et Réalité,* Gallimard, 1971, p.153-62.

4. O CONCEITO DE SUBLIMAÇÃO

O CONCEITO DE SUBLIMAÇÃO

A sublimação é frequentemente considerada pelos psicanalistas como uma noção distanciada de sua prática clínica, mal articulada no seio da teoria e conotada com um sentido demasiadamente geral, estético, moral ou intelectual. A utilização abusiva do termo sublimação no campo sempre ambíguo da psicanálise aplicada, bem como a elucidação desse conceito, jamais realmente concluída por Freud, explicam por que, de fato, a sublimação tem sido relegada por diversos autores à categoria de entidade teórica secundária. Nossa opinião é diferente. Cremos, ao contrário, que o conceito de sublimação, se bem que no limite da psicanálise, constitui, ainda assim, um conceito crucial, e continua a ser um grande instrumento teórico para nortear o psicanalista na condução da análise. Crucial porque está situado no entrecruzamento de diferentes elaborações conceituais, como a teoria metapsicológica da pulsão, a teoria dinâmica dos mecanismos de defesa do eu e, mais particularmente, a teoria lacaniana da Coisa. Mas trata-se também de um instrumento clínico fundamental, pois, mesmo que o conceito não seja imediatamente localizável no curso de uma análise, seu lugar na escuta do clínico é importante para reconhecer e pontuar algumas variações do movimento da cura.

Pois bem, além dessa dupla importância conceitual e técnica, a noção de sublimação continua a ser necessária à coerência da teoria freudiana, necessidade esta que pode ser traduzida pela seguinte pergunta: qual é a razão de existir do conceito de sublimação? Qual é seu desafio teórico? De qual problema constitui ele a solução singular? Respondemos que a sublimação é a única noção psicanalítica capaz de explicar que obras criadas pelo homem – realizações artísticas, científicas ou mesmo esportivas –, distantes de qualquer referência à vida sexual, sejam produzidas, ainda assim, graças a uma força sexual nascida de uma fonte sexual. As raízes e a energia do processo de sublimação, portanto, são pulsionalmente sexuais (pré-genitais: orais, anais, fálicas), enquanto a conclusão desse processo é uma realização não sexual conforme aos ideais mais consumados de uma dada época. Assim, podemos afirmar desde logo que o conceito de sublimação responde fundamentalmente à necessidade, para a teoria psicanalítica, de dar conta da origem sexual do impulso criador do homem.

Acabamos de situar a sublimação como o meio de transformar e elevar a energia das forças sexuais, convertendo-as numa força positiva e criadora. Mas, ao contrário, devemos também concebê-la como meio de temperar e atenuar a intensidade excessiva dessas forças. É nesse sentido que Freud, desde o início de sua obra, considera a sublimação como uma das defesas do eu contra a irrupção violenta do sexual, ou, como escreveria vinte anos depois, como uma das modalidades de defesa opostas à descarga direta e total da pulsão. Por isso é que o conceito de sublimação pode ser encarado segundo dois pontos de vista complementares, que unem as diferentes abordagens freudianas: ou a sublimação é a expressão positiva mais elaborada e socializada da pulsão, ou é um meio de defesa capaz de temperar os excessos e os extravasamentos da vida pulsional.

É considerando esses dois pontos de vista de maneira concomitante que abordaremos os seguintes temas:

- A sublimação como algo oposto ao ressurgimento de uma lembrança sexual intolerável.
- A sublimação como algo oposto ao estado passional na relação analítica.

- A sublimação como algo oposto à potência desmedida da moção pulsional. Definição de uma pulsão sublimada.
- A sublimação como capacidade plástica da pulsão.
- Um exemplo de sublimação: a curiosidade sexual sublimada em desejo de saber.
- As duas condições do processo de sublimação: o eu e o ideal de eu do criador.
- Apresentaremos em seguida a abordagem lacaniana do conceito de sublimação, comentando a fórmula: "a sublimação eleva o objeto à dignidade da Coisa."
- Em conclusão, resumiremos os principais traços de uma pulsão sublimada, bem como os traços específicos de uma obra criada por sublimação.

A sublimação é uma defesa contra a lembrança sexual intolerável

Em 1897, nas cartas a Fliess,[1] Freud se interrogou sobre a estrutura da histeria e descobriu que a causa dessa patologia era a vontade inconsciente do enfermo de esquecer uma cena de sedução paterna de caráter sexual. Para evitar a rememoração brutal da cena sexual, a histérica inventa fantasias construídas com base na lembrança que quer afastar. A doente consegue assim temperar a tensão desta, ou seja, *sublimar* a lembrança. Por isso essas fantasias intermediárias têm por missão purificar, sublimar e apresentar ao eu uma versão mais aceitável do acontecimento sexual recalcado. Entendamos: o que é sublimado é a lembrança sexual, sendo a fantasia, por sua vez, simultaneamente o meio que permite essa sublimação e o produto final da sublimação.

Freud dá o exemplo de uma moça histérica inconscientemente culpada de seus desejos incestuosos em relação ao pai. A paciente está às voltas com uma lembrança inconsciente que quer esquecer, na qual está identificada com mulheres sexualmente desejantes, mais exatamente com as criadas de moral baixa que ela suspeitava terem mantido um contato sexual ilícito com seu pai. A fim de impedir o retorno dessa lembrança intolerável, porque incestuosa, a moça construiu um cenário fantasístico diferente do cenário da lembrança, no qual ela própria é que se sentia desprezada, temendo ser suspeita de prostituição. Na lembrança, identificava-se com as criadas que supostamente desejavam o pai, ao passo que, na fantasia, por intermédio de uma transmutação a que Freud deu o nome de *sublimação,* identificou-se com essas mesmas mulheres, mas dessa vez na qualidade de mulheres ruins, acusadas de prostituição. Graças à sublimação, a culpa inconsciente e intolerável de desejar o pai, presente na lembrança, transforma-se, na fantasia, numa culpa consciente e tolerável de ser suspeita de prostituição. Por intermédio da sublimação, aqui considerada como uma *mutação no sentido da moralidade,* a fantasia tornou moralmente aceitável uma lembrança incestuosa e amoral. O sentimento inconsciente de ser culpada de desejar o pai foi substituído, graças à sublimação, por um sentimento consciente de ser vítima do desejo dos outros. Observe-se, de passagem, que essa mudança só foi possível ao preço do aparecimento de sintomas neuróticos, tais como a angústia, vivida pela jovem histérica, de andar sozinha nas ruas, por medo de ser tomada por prostituta.

Chegamos assim a uma primeira conclusão, conferindo à sublimação uma função de defesa que atenua ou transforma o caráter insuportável das lembranças sexuais que o sujeito quer ignorar. A sublimação efetuou o deslocamento de uma representação psíquica inconsciente, ligada ao desejo incestuoso, para uma outra representação psíquica aceitável para a consciência, apesar de portadora de sintomas e geradora de sofrimento.

A sublimação é uma defesa contra os excessos da transferência amorosa na análise

Mas Freud também situa a função defensiva da sublimação no próprio interior do processo analítico. Dessa vez, a ameaça da emergência do sexual surge muito particularmente no contexto da relação transferencial e pode se manifestar, por exemplo, sob a forma de uma exigência amorosa dirigida pela paciente a seu analista. "A transferência pode manifestar-se – escreveu Freud – quer como uma exigência amorosa tumultuosa, quer sob formas mais temperadas. [Neste último caso,] algumas mulheres sabem *sublimar* a transferência e modelá-la até torná-la viável de certa maneira",[2] e assim permitir o prosseguimento da análise. Saber sublimar a transferência quer dizer, então, que o vínculo amoroso de caráter passional pode e até deve ceder lugar, por deserotização progressiva, a uma relação analítica viável. Após um primeiro momento de investimento libidinal relativo a um objeto erógeno – no caso, um psicanalista –, o processo de sublimação desenvolve-se tão lentamente quanto o trabalho do luto, por exemplo, ou ainda como o outro trabalho que consiste em o analisando integrar em si a interpretação enunciada pelo analista (o chamado trabalho de perlaboração). A sublimação que sucede à paixão na transferência, o luto que sucede à perda e a perlaboração que sucede à interpretação requerem, todos três, muito tempo, o tempo indispensável para deixar que se encadeiem as múltiplas representações do pensamento inconsciente.

Mas à necessidade do tempo vem acrescentar-se ainda o peso da dor inerente ao exercício inconsciente do pensamento. É que pensar, ou seja, deslocar-se incessantemente de uma representação sexual para outra não sexual, incomoda: sublimar continua a ser para o analisando uma atividade dolorosa. Em sua correspondência com o pastor Pfister, Freud não hesitou em reconhecer que as vias da sublimação são sumamente penosas para a maioria dos pacientes. Eles são constrangidos a se submeter às exigências do trabalho analítico, que comporta um tempo de domínio das pulsões – e, portanto, uma parcela de sublimação –, e a renunciar então a sua inclinação a ceder imediatamente ao prazer de uma satisfação sexual direta.[3]

A sublimação é uma defesa contra a satisfação direta da pulsão. Definição de uma pulsão sublimada

Abordemos agora a sublimação em sua relação com o sexual, aqui compreendido não mais como uma lembrança insuportável, nem como um estado passional da transferência, mas como sendo uma moção pulsional que tende a se satisfazer de maneira imediata. Lembremos que a pulsão jamais consegue tomar o caminho da descarga direta e total, porque o eu, temendo ser esmagado, opõe-lhe uma ação defensiva. A sublimação é considerada por Freud justamente como um dos quatro modos de defesa empregados pelo eu contra os excessos da pulsão. Esses modos de defesa são mais correntemente chamados de destinos da pulsão, já que a saída final de uma pulsão depende da barreira encontrada em seu caminho.

O fluxo pulsional pode, em primeiro lugar, sofrer o destino do *recalcamento,* ou de uma tentativa de recalcamento seguida de um fracasso, que então dá lugar ao sintoma neurótico. Esse mesmo fluxo pode também – segundo destino – encontrar outra forma de oposição: o eu desliga o fluxo pulsional do objeto sexual externo em que se depositara e o faz voltar-se sobre si mesmo. A formação psíquica característica desse segundo destino em que a pulsão *retorna para o próprio eu*[4] é a fantasia. Numa fantasia, o investimento feito no objeto sexual é assim substituído por uma identificação do eu com esse mesmo objeto. A terceira transformação do fluxo pulsional consiste numa *inibição* pura e simples. A pulsão inibida transforma-se então no afeto de ternura. E, por fim – quarto destino, o que realmente nos importa –, a moção pulsional é desviada e toma o caminho da *sublimação*. Nesse caso, diremos que uma pulsão é sublimada quando sua força é desviada de sua finalidade primária de obter satisfação sexual, para colocar-se então a serviço de uma finalidade social, seja ela artística, intelectual ou moral. Ora, a mudança do objeto sexual da pulsão em favor de outro não sexual só será possível sob a condição de se mudar, primeiramente, o meio empregado para a obtenção do novo objetivo. Para que a pulsão seja sublimada, isto é, para que obtenha uma satisfação não sexual, é necessário que ela se sirva de um objeto também não sexual. A sublimação consiste, pois, em substituir o objeto e o objetivo sexuais da pulsão por um objeto e um objetivo não sexuais.

Pois bem, essa dupla substituição do objeto e do objetivo, muito embora seja essencial ao processo de sublimação, não o define exatamente. Convém ainda esclarecer que a pulsão sublimada decorre também de duas propriedades comuns a qualquer pulsão. De um lado, a pulsão sublimada, tal como qualquer pulsão, preserva a qualidade sexual de sua energia (quer a pulsão seja sublimada ou não, a libido é sempre sexual); e, de outro, a pulsão sublimada, como toda pulsão, mantém-se constantemente viva (seja ou não sublimada, a força de sua atividade permanece constante, ou seja, sempre à procura de uma satisfação plena, jamais alcançada em definitivo). Queremos dizer que a força pulsional sublimada permanece sempre sexual, porque a fonte de que provém é sexual; e permanece constantemente ativa porque, nunca sendo inteiramente atingido seu objetivo, seu ímpeto insiste e persiste. Sabemos que o alvo de uma pulsão é o alívio proporcionado pela descarga de sua tensão; mas sabemos também que, nunca sendo completa essa descarga, a satisfação continua a ser irremediavelmente parcial. Por conseguinte, quer a satisfação seja sexual (pulsão recalcada) ou não sexual (pulsão sublimada), ela não pode ser senão uma satisfação parcial, ou, se preferirmos, uma insatisfação. Quer se trate do sintoma produzido por recalcamento, da fantasia produzida pelo retorno da pulsão para o eu, da ternura produzida pela inibição, ou ainda da obra de arte produzida por sublimação, aí reconhecemos as diversas expressões de uma mesma insatisfação, isto é, de uma mesma satisfação parcial. Os seres humanos são, aos olhos de Freud, seres desejantes cuja única realidade é a insatisfação.[5]

Em suma, que é que caracteriza a sublimação? No caminho da busca inútil de uma satisfação impossível, isto é, de uma descarga total, a sublimação é uma satisfação parcial obtida graças a outros objetos que não os objetos sexuais eróticos. Podemos, portanto, propor a seguinte conclusão:

Diremos que uma pulsão sublimada é *sexual* se pensarmos em sua origem e na natureza de sua energia libidinal, e diremos que é *não sexual* se pensarmos no tipo de satisfação obtido e no objeto que o proporciona.

A sublimação designa a capacidade plástica da pulsão

Com todo o rigor, porém, devemos nuançar esta última conclusão; cabe-nos distinguir nitidamente a pulsão sublimada da operação de sublimação que a torna possível. A sublimação não é tanto uma satisfação quanto a *aptidão* da pulsão para encontrar novas satisfações não sexuais. Sublimação quer dizer, acima de tudo, plasticidade, maleabilidade da força pulsional. Freud o escreveu com muita precisão: a sublimação é a *"capacidade de trocar* um alvo sexual por um outro que já não é sexual",⁶ ou seja, a capacidade de trocar uma satisfação sexual por outra, dessexualizada. O destino da pulsão a que chamamos sublimação é, estritamente falando, a própria operação de troca, o fato mesmo da substituição. Por isso, mais do que um modo particular de satisfação, a sublimação é, antes de mais nada, a *passagem* de uma satisfação a outra.

Um exemplo de sublimação: a curiosidade sexual sublimada

O caso da curiosidade sexual infantil como expressão direta da pulsão voyeurista e sua transformação ulterior em sede de saber ilustra perfeitamente essa substituição de uma finalidade sexual por outra finalidade dessexualizada. O primeiro objetivo da curiosidade sexual é extrair prazer de descobrir, por exemplo, as partes genitais ocultas do corpo da mulher, e assim completar a imagem incompleta de um corpo parcialmente velado. Pois bem, a exploração sexual do corpo feminino pela criança pode transformar-se mais tarde, no adulto, graças à sublimação, no desejo de um saber mais global. Podemos dizer com Freud que a pulsão de ver é sublimada "quando o interesse [curiosidade] não mais se concentra nas partes genitais, mas no conjunto do corpo". Como já tínhamos dito, na sublimação, a mudança de alvo só pode funcionar se houver mudança do objeto: o corpo em sua totalidade vem em lugar da região local dos órgãos genitais; o todo assume o lugar da parte. Certamente, na pulsão voyeurista sublimada, tanto o alvo quanto o objeto mudam de natureza: o alvo inicialmente sexual (*obter o prazer visual de desvendar e explorar o corpo sexual feminino*) converte-se em alvo não sexual (*obter o prazer de conhecer a anatomia do corpo,* por exemplo), e o objeto sexual e local (*órgãos genitais*) torna-se não sexual e global (*o corpo como objeto de estudo*). Assim, a sublimação da pulsão voyeurista consiste na passagem de uma satisfação erótica e parcial, ligada a um objeto erótico local (os órgãos genitais femininos), a uma outra satisfação não sexual, mas igualmente parcial, ligada a um objeto mais global e dessexualizado (o corpo inteiro como objeto de conhecimento científico). A imagem local que ocultava o lugar sexual erotizado e atraía a curiosidade infantil transforma-se progressivamente, por intermédio da sublimação, numa imagem global do corpo que desperta o desejo de saber próprio do criador. É essa outra sede, a de conhecer e produzir, que leva o artista a engendrar sua obra.

Para melhor ilustrar o processo da sublimação, apoiemo-nos numa observação clínica célebre de Freud, na qual a curiosidade sexual infantil, bem como outras formações pulsionais, foram sublimadas. Trata-se do caso de um menino de cinco anos, o "pequeno Hans", dominado pelo medo de ser mordido por cavalos na rua.[7] Esse medo fóbico infantil de ficar exposto na rua ao perigo dos animais provinha da transformação da energia libidinal das pulsões em angústia; o ímpeto sexual das pulsões inconscientes transformou-se, no menino, em angústia fóbica consciente. Com efeito, a energia libidinal própria das pulsões que habitavam em Hans (as pulsões sádicas em relação à mãe, tendências hostis e homossexuais perante o pai, pulsões voyeuristas-exibicionistas, e pulsões fálicas na origem da masturbação) seguiria dois destinos. Parte da libido seria transformada em angústia, depois de sofrer uma tentativa frustra de recalcamento. Já uma outra parte da energia libidinal, a que havia escapado à tentativa de recalcamento, seria sublimada sob a forma de um vivíssimo interesse do menino por um objeto não sexual e global: a música. Esse novo investimento libidinal, feito nos sons e na harmonia musical, iniciou um longo processo de sublimação que prosseguiria até a idade adulta, quando Hans se tornou um músico excelente.

As duas condições do processo de sublimação

1. *Para se produzir, a sublimação requer a intervenção do eu narcísico.* Empregamos anteriormente a expressão "satisfação dessexualizada". Mas, o que se entende por dessexualização? O termo é ambíguo, pois poderia dar a entender que não há mais libido sexual na pulsão. Ora, afirmamos precisamente o contrário. Insistamos mais uma vez em dizer que a libido sublimada nunca perde sua origem sexual. Na sublimação, trata-se não de "dessexualizar globalmente" a pulsão, mas apenas de dessexualizar seu objeto. Dessexualizar equivale a subtrair o investimento libidinal que incide num objeto considerado erótico para recolocá-lo em outro objeto, não sexual, e assim obter uma satisfação também não sexual. Mas o êxito dessa troca dessexualizadora depende de uma operação intermediária decisiva para qualquer sublimação: o eu primeiro retira a libido do objeto sexual, depois a faz retornar a si e, por fim, destina essa libido a um novo alvo, não sexual. Como vemos, o alvo inicial da pulsão, que é obter uma satisfação sexual direta, cede então lugar a uma satisfação sublimada, artística, por exemplo, graças ao prazer intermediário de gratificação narcísica do artista. É realmente o narcisismo do artista que condiciona e favorece a atividade criadora de sua pulsão sublimada.

Devemos trazer aqui um esclarecimento. Nem toda dessexualização é, por isso mesmo, uma sublimação, mas, inversamente, toda sublimação é necessariamente uma dessexualização. Dito de outra maneira, existem dessexualizações que não têm nenhuma relação com a sublimação, como, por exemplo, a atividade do trabalho cotidiano ou as atividades de lazer. Mas, nesse caso, o que é que especifica o processo de sublimação? Para responder a isso, cabe-nos primeiramente destacar a segunda condição necessária a esse processo.

2. *O ideal do eu inicia e orienta a sublimação*. O processo de sublimação, ou seja, a passagem de uma satisfação erotizada e infantil para outra não erotizada e intelectual, não poderia desdobrar-se sem o apoio necessário dos ideais simbólicos e dos valores sociais da época. Ora, o fato de as obras criadas pela sublimação assumirem um valor social não significa que elas atendam a qualquer utilidade social. Em geral, os produtos artísticos, intelectuais ou morais não são submetidos a nenhuma exigência prática particular. A prova mais tangível disso é a precocidade dos processos de sublimação nas crianças, como vimos no caso do pequeno Hans, ou ainda a instauração renovada das pulsões sublimadas no contexto da cura analítica, durante o trabalho do analisando. Quer se trate de um pintor, um músico, uma criança ou um analisando, a todos encontramos empenhados numa tarefa cujo resultado não pode ser medido com o auxílio de critérios de eficácia, utilidade ou lucro. Quando afirmamos que os objetos que proporcionam a satisfação sublimada são objetos dessexualizados e sociais, estamos pensando sobretudo no fato de eles corresponderem a ideais sociais que exaltam a criação de novas formas significantes. Esses ideais sociais, interiorizados e inscritos no eu do criador, são parte integrante da formação psíquica fundamental que Freud denomina ideal do eu. As relações dessa formação do ideal com a sublimação nem sempre foram claramente elucidadas por Freud.[8] No entanto, podemos afirmar que o ideal do eu cumpre duas funções em relação ao processo de sublimação.

Em primeiro lugar, como acabamos de indicar, o ideal desempenha o papel de *desencadeador* do processo, com a particularidade de que, uma vez iniciado o movimento de sublimação, o impulso criador da obra desliga-se do ideal do eu que o suscitara inicialmente. No caso do pequeno Hans, foi justamente a música, ideal perseguido pelo pai, que assumiu a figura do ideal do eu, incitando o menino a gozar com o prazer auditivo dos sons e das melodias e, desse modo, compensar o sofrimento neurótico de sua fobia. Uma vez sentido o primeiro gozo auditivo, o ímpeto pulsional da sublimação se transformaria em amor puro pelos sons, fusão íntima, fisicamente sensual, com a materialidade do espaço sonoro; a partir desse momento, qualquer referência ideal, qualquer norma ou valor abstrato se contraiu e se fundamentou no seio desse contato sempre sensual e apaixonado que o artista mantém com os materiais de sua criação.

A essa primeira função de aguilhão simbólico acrescenta-se uma segunda, de acordo com a qual o ideal indica a *direção* do movimento iniciado. Em termos precisos, essa segunda função referencial do ideal do eu permite esclarecer uma formulação freudiana muitas vezes retomada, mas raramente explicitada. Quando Freud afirma que a sublimação representa a satisfação da pulsão *sem o recalcamento,* isso não significa, em absoluto, que a força pulsional seja transbordante, plena e livre de qualquer constrangimento. A expressão "sem recalcamento" certamente quer dizer ausência de censura que barre o ímpeto da pulsão, mas nem por isso implica a ideia de errância e perda da força pulsional. A sublimação da pulsão decerto não é o recalcamento, mas é, não obstante, um cerceamento imposto à atividade pulsional sob a forma de um desvio do curso de seu fluxo para uma satisfação diferente da satisfação sexual. Ora, justamente o elemento que impõe esse desvio não é a censura que reprime, mas o ideal do eu que exalta, guia e encerra a capacidade plástica da pulsão.

Abordagem lacaniana do conceito de sublimação: "a sublimação eleva o objeto à dignidade da Coisa"

A teoria lacaniana da sublimação repousa inteiramente numa proposição primordial formulada por Lacan em seu seminário sobre

A ética da psicanálise: "A sublimação eleva um objeto [narcísico e imaginário] à dignidade da Coisa." Vamos limitar-nos aqui a explicar o sentido geral dessa fórmula, partindo do efeito provocado pela obra – produto da sublimação – naquele que a olha. Já havíamos sublinhado uma primeira característica das obras criadas por sublimação: trata-se, em princípio, de objetos desprovidos de qualquer finalidade prática e que correspondem a ideais sociais elevados, subjetivamente internalizados sob a forma do ideal do eu do criador. Mas a especificidade das produções intelectuais, científicas e artísticas elaboradas com a força sexual de uma pulsão sublimada reside sobretudo em sua qualidade de objetos imaginários. Essas obras, e muito particularmente a obra de arte, protótipo da criação produzida por sublimação, não são coisas materiais, mas antes formas e imagens *novamente criadas,* dotadas de uma eficiência singular. São imagens e formas significantes traçadas à semelhança da imagem inconsciente de nosso corpo, ou, mais exatamente, de nosso eu inconsciente narcísico. Pois bem, essas obras imaginárias da sublimação são capazes de produzir dois efeitos fundamentais no espectador: deslumbram-no por seu fascínio e suscitam nele o mesmo estado de paixão e de desejo em suspenso que levou o artista a gerar sua obra.

Que deduzir disso, senão que uma figura de nosso eu narcísico, projetada lá fora na existência objetiva de uma obra, é capaz de remeter o espectador a seu próprio desejo de criar? Uma imagem moldada pelo eu acarreta no espectador um movimento pulsional semelhante para a sublimação, ou seja, para uma satisfação não sexual, global, próxima de um vazio infinito, de um gozo sem limites. Elevar o objeto narcísico à dignidade da Coisa quer dizer, então, que a marca do eu do criador, objetivada na obra de arte, abre no outro a dimensão intolerável de um desejo de desejo, de um desejo em suspensão, sem nenhum objeto designado. O objeto imaginário e narcísico, verdadeira condensação dos três componentes que são a força pulsional, o narcisismo do criador e a forma acabada da obra, dissolve-se e se dissipa então no vazio da emoção intensa e poderosa que suscita no admirador fascinado. Resumamos esquematicamente os traços principais de uma pulsão sublimada:

- A fonte de onde ela provém é, como em todas as pulsões, uma zona erógena, e portanto, *sexual*.
- O ímpeto da pulsão, marcado pela origem sexual de sua fonte, continua a ser sempre, independentemente de seu destino, a *libido sexual*.
- O alvo específico da pulsão sublimada é uma satisfação parcial, mas *não sexual*.
- O objeto específico da pulsão sublimada é também *não sexual*.
- Em suma, diz-se que uma pulsão sublimada é *sexual* quando se pensa em sua origem e na natureza de sua energia libidinal, e diz-se que é *não sexual* quando se pensa no tipo de satisfação obtido (parcial) e no objeto que o proporciona.
- A sublimação não é, estritamente falando, uma satisfação, mas a *capacidade plástica da pulsão* de mudar de objeto e de encontrar novas satisfações. A fixidez da pulsão num objeto sexual opõe-se à mobilidade da sublimação dessexualizada.
- O movimento da sublimação, nascido de uma fonte sexual e culminando numa obra não sexual, só pode consumar-se sob duas condições. De um lado, o eu do criador deve ser dotado de uma potencialidade narcísica particular, capaz de dessexualizar o objeto sexual trazido pelas forças pulsionais arcaicas provenientes da fonte sexual. Por outro lado, a criação da obra produzida por sublimação corresponde aos cânones de um ideal buscado pelo eu narcísico do criador. Insistimos: uma atividade de origem sexual, dessexualizada através do narcisismo, orientada para o ideal do eu e geradora de uma obra humana não sexual, tal é a dinâmica própria do movimento da sublimação.

Para concluir, resumamos agora os traços das obras criadas graças à atividade de uma pulsão sublimada:

- A obra produzida por sublimação não tem *nenhuma finalidade prática ou utilitária.*
- A obra da sublimação corresponde a *ideais sociais elevados*, subjetivamente internalizados no *ideal do eu* do artista criador.
- As obras da sublimação, mais do que coisas materiais, são imagens e formas significantes *novamente criadas.*
- Trata-se de imagens e formas traçadas à semelhança da imagem inconsciente de nosso corpo, ou, mais exatamente, à semelhança de nosso eu inconsciente narcísico.
- As obras imaginárias da sublimação são capazes de produzir dois efeitos fundamentais no espectador: elas o deslumbram por seu fascínio e suscitam nele o mesmo estado de paixão e de desejo suspenso que levou o artista a engendrar sua obra.
- A obra de arte, verdadeira condensação de três componentes, que são a força pulsional, o narcisismo do criador e a forma acabada da obra, dissolve-se e se dissipa então no vazio da emoção intensa e poderosa que desperta no admirador.

Citações das obras de S. Freud e J. Lacan sobre a sublimação

Freud

A sublimação é uma defesa efetuada pela fantasia

[As fantasias] erigem, de fato, defesas psíquicas contra o retorno das lembranças que elas têm também a missão de purificar e sublimar.[1] (1897)

A sublimação é um meio de atenuar o conteúdo sexual da transferência, compreendido como uma verdadeira formação pulsional na análise

Outras transferências são feitas com mais arte, sofrem uma atenuação de seu conteúdo, uma *sublimação*, e são até capazes de se tornar conscientes, escorando-se numa particularidade real, habilmente utilizada, da pessoa do médico.[2] (1905)

Sublimar é, para nossos pacientes, uma atividade dolorosa

O sucesso duradouro da psicanálise depende das duas saídas que ela consegue abrir para si: a descarga da satisfação, de um lado, o domínio e a sublimação da pulsão rebelde, de outro .... Como as vias da sublimação são demasiadamente penosas para a maioria de nossos pacientes, nosso processo desemboca, na maioria das vezes, na busca da satisfação.[3] (1909)

*A sublimação consiste num abandono
do alvo sexual da pulsão*

A sublimação é um processo que concerne à libido de objeto e consiste em que a pulsão se dirige para outro alvo, afastado da satisfação sexual.[4] (1914)

A sublimação designa a capacidade plástica da pulsão

Chamamos capacidade de *sublimação* à capacidade de trocar o alvo que está na origem sexual por outro que já não é sexual, mas é psiquicamente aparentado com o primeiro.[5] (1908)

*Um exemplo de sublimação:
a curiosidade sexual sublimada em desejo de saber*

Quando sobrevieram as tormentas da puberdade [de Leonardo] ..., a maior parte das necessidades eróticas pôde, graças à predominância precoce da curiosidade sexual, sublimar-se numa sede universal de saber, e assim escapar ao recalmento.[6] (1910)

*O objeto da pulsão sublimada é um objeto mais global
do que o objeto sexual*

... a curiosidade pode transformar-se no sentido da arte ("sublimação"), quando o interesse não mais se concentra unicamente nas partes genitais, mas se estende ao conjunto do corpo.[7] (1905)

A intervenção do eu é uma das duas condições do processo de sublimação. A sublimação comporta uma dessexualização sob a forma de um retorno narcísico para o eu

Encontramos aqui a possibilidade de que a sublimação se produza regularmente pela mediação do eu.[8] (1923)

A transposição da libido de objeto em libido narcísica comporta manifestamente um abandono dos alvos sexuais, uma dessexualização, e portanto, uma espécie de sublimação.[9] (1923)

O ideal do eu (aqui, os valores sociais) orienta o processo de sublimação

[As emoções sexuais] sofrem uma sublimação, ou seja, são desviadas de seu alvo sexual e orientadas para alvos socialmente superiores e que nada mais têm de sexual.[10] (1917)

Distinguimos sob o nome de *sublimação* um certo gênero de modificação do alvo e de mudança do objeto [da pulsão] em que nossa avaliação social é levada em conta.[11] (1933)

LACAN

A sublimação é um conceito problemático

A sublimação é, por [Freud], vinculada aos *Triebe* [pulsões] como tais e é isso o que constitui, para os analistas, toda a dificuldade de sua teorização.[12]

A sublimação é um destino da pulsão diferente do recalcamento

A sublimação não é menos a satisfação da pulsão, e isto sem recalcamento.[13]

A sublimação é a passagem de um objeto imaginário
a um vazio real (a Coisa)

Entre o objeto, tal como é estruturado pela relação narcísica, e *das Ding* [a Coisa], há uma diferença, e é justamente na vertente dessa diferença que se situa, para nós, o problema da sublimação.[14]

[A sublimação] eleva um objeto [narcísico e imaginário] ... à dignidade da Coisa.[15]

A arte, a religião e a ciência são maneiras diferentes
de tratar o vazio da Coisa

Essa Coisa, da qual todas as formas criadas pelo homem são do registro da sublimação, será sempre representada por um vazio, precisamente pelo fato de ela não poder ser representada por outra coisa – ou, mais exatamente, de ela não poder ser representada senão por outra coisa. Mas, em toda forma de sublimação o vazio será determinante.[16]

BIBLIOGRAFIA DAS CITAÇÕES

1. "Manuscrit L", in *La Naissance de la Psychanalyse,* PUF, 1956, p.174 ["Excertos de Documentos Dirigidos a Fliess", "Rascunho L", *ESB* vol.I].

2. "Fragment d'une Analyse d'Hystérie (Dora)", in *Cinq Psychanalyses,* PUF, 1954, p.87 ["Fragmento da Análise de um Caso de Histeria", *ESB* vol.VII].
3. Carta ao pastor Pfister, datada de 9 de fevereiro de 1909, in *Correspondance de S. Freud avec O. Pfister,* Gallimard, 1974, p.46-7.
4. "Pour Introduire le Narcissisme", in *La Vie Sexuelle,* PUF, 1969, p.98 ["Sobre o Narcisismo: Introdução", *ESB* vol.XIV].
5. "La Morale Sexuelle Civilisée…", in *La Vie Sexuelle,* op.cit., p.33 ["Moral Sexual 'Civilizada' e Doença Nervosa Moderna", *ESB* vol.IX].
6. *Un Souvenir d'Enfance de Léonard de Vinci,* Gallimard, 1987, p.171 ["Uma Lembrança da Infância de Leonardo da Vinci", *ESB* vol.XI].
7. *Trois Essais sur la Théorie de la Sexualité,* Gallimard, 1962, p.42 [*Três ensaios sobre a teoria da sexualidade, ESB* vol.VII].
8. "Le Moi et le Ça", in *Essais de Psychanalyse,* Payot, 1981, p.259 [*O ego e o id, ESB* vol.XIX].
9. Ibid., p.242.
10. *Introduction à la Psychanalyse,* Payot, 1981, p.13 [*Conferências introdutórias sobre psicanálise, ESB* vol.XVI].
11. *Nouvelles Conférences d'Introduction à la Psychanalyse,* Gallimard, 1984, p.131 [*Novas conferências introdutórias sobre psicanálise, ESB* vol.XXII].
12. *Le Séminaire,* livre VII, *L'Étique de la Psychanalyse,* Seuil, 1986, p.131 [Ed. bras.: *O Seminário,* livro 7, *A ética da psicanálise,* Rio de Janeiro, Zahar, 2ª ed., 2008, p.138].
13. *Le Séminaire,* livre XI, *Les Quatre Concepts Fondamentaux de la Psychanalyse,* Seuil, 1973, p.151 [Ed. bras.: *O Seminário,* livro 11, *Os quatro conceitos fundamentais da psicanálise,* Rio de Janeiro, Zahar, 2ª ed., 2008, p.157].
14. *O Seminário,* livro 7, *A ética da psicanálise,* Rio de Janeiro, Zahar, 2ª ed., 2008, p.124.
15. Ibid., p.140-1.
16. Ibid., p.162.

Seleção bibliográfica sobre a sublimação

Freud, S.

1897 "Manuscrit L", in *La Naissance de la Psychanalyse,* PUF, 1956, p.174 ["Excertos de Documentos Dirigidos a Fliess", "Rascunho L", *ESB* vol.I].

1905 "Fragment d'une Analyse d'Hystérie (Dora)", in *Cinq Psychanalyses,* PUF, 1954, p.87 ["Fragmento da Análise de um Caso de Histeria". *ESB* vol.VII].
Trois Essais sur la Théorie de la Sexualité, Gallimard, 1962, p.42, 107 [*Três ensaios sobre a teoria da sexualidade, ESB* vol.VII].

1908 "La Morale Sexuelle Civilisée...", in *La Vie Sexuelle,* PUF, 1969, p.33-5 ["Moral Sexual 'Civilizada' e Doença Nervosa Moderna". *ESB* vol.VIII].

1909 *Cinq Leçons sur la Psychanalyse,* Payot, 1981, p.64 ["Cinco Lições de Psicanálise", *ESB* vol.XI).

1910 *Un Souvenir d'Enfance de Léonard de Vinci,* Gallimard, 1987. p.81, 85, 171 ("Uma Lembrança da Infância de Leonardo da Vinci", *ESB* vol.XI].

1912 "Conseils aux Médecins sur le Traitement Analytique", in *La Technique Psychanalytique,* PUF, 1953, p.69, 70 ["Recomendações aos Médicos que Exercem a Psicanálise", *ESB* vol.XII).

1915 "Pour Introduire le Narcissisme", in *La Vie Sexuelle,* op.cit., p.98-9 (sublimação e ideal do eu) ["Sobre o Narcisismo: Introdução", *ESB* vol.XIV].

1917 *Introduction à la Psychanalyse,* Payot, 1981, p.13 [*Conferências introdutórias sobre psicanálise, ESB* vol.XVI].

1923 "Le Moi et la Ça", in *Essais de Psychanalyse,* Payot, 1981, p.242-59 [*O ego e o id, ESB* vol.XIX].

1923 "Psychanalyse" e "Théorie de la Libido", in *Résultats, Idées, Problèmes II,* PUF, 1985, p.74 ("Dois Verbetes de Enciclopédia; 'Psicanálise' e 'Teoria da Libido'", *ESB* vol.XVIII].

1930 *Malaise dans la Civilisation,* PUF., 1971, p.18 [*O mal-estar na cultura, ESB* vol.XXI].

1933   *Nouvelles Conférences d'Introduction à la Psychanalyse*, Gallimard, 1984, p.131, 180 [*Novas conferências introdutórias sobre psicanálise*, ESB vol.XXII].

Lacan, J.

O Seminário, livro 7, *A ética da psicanálise*, Rio de Janeiro, Zahar, 2ª ed., 2008, p.124, 138-9, 140-1, 162-3.
Le Transfert, aula de 22 de março de 1961. [Ed. bras.: *O Seminário*, livro 8, *A transferência*, Rio de Janeiro, Zahar, 2ª ed., 2010].
O Seminário, livro 11, *Os quatro conceitos fundamentais da psicanálise*, Rio de Janeiro, Zahar, 2ª ed., 2008, p.157-8.
D'un autre à l'Autre, aulas de 5 e 12 de março de 1969. [Ed. bras.: *O Seminário*, livro 16, *De um Outro ao outro*, Rio de Janeiro, Zahar, 2008].
Écrits, Seuil, 1966, p.90, 712. [Ed. bras.: *Escritos*, Rio de Janeiro, Zahar, 2008, p.93-4, 719-20].

ABRAHAM, K., *Oeuvres Complètes*, vol.I, Payot, 1965, p.216.
FEDIDA, P., "Temps et Négation. La Création dans la Cure Psychanalytique", in *Psychanalyse à l'Université*, vol.2, nº 7, junho de 1977, p.427-48.
KLEIN, M., *Essais de Psychanalyse*, Payot, 1968, p.254 [*Contribuições à psicanálise*, São Paulo, Ed. Mestre Jou, 1970].
LAPLANCHE, J., *Problématiques*, 3, *La Sublimation*, PUF., 1980.
RODRIGUÉ, E., "Notes on Symbolism", *Int. J. Psychoanalysis*, vol.37.

5. O CONCEITO DE IDENTIFICAÇÃO

O conceito de identificação

Uma visão lacaniana

O objetivo deste capítulo não é aprofundar este ou aquele aspecto da noção de identificação, mas apresentar, do ponto de vista lacaniano, sua articulação essencial. Ao empregarmos correntemente o vocábulo "identificação", veiculamos inadvertidamente uma ideia recebida, vagamente tomada de empréstimo à psicossociologia. Ela se reduz a um esquema muito simples, composto por duas pessoas, *A* e *B,* ligadas por uma relação de identificação. A pessoa *A,* já bem individualizada, transforma-se progressivamente, por identificação, em *B*. Consequentemente, concluímos que *A* adota os traços de *B,* identifica-se com *B*. Ora, em psicanálise, temos uma maneira radicalmente oposta de compreender a relação identificatória. Esse esquema proveniente da opinião comum é modificado em profundidade pelo pensamento psicanalítico. O tratamento dado ao tema por Freud, e o outro, muito diferente, dado por Lacan, constituem, cada qual a sua maneira, uma verdadeira subversão do modo habitual de conceber a identificação. A subversão freudiana do esquema tradicional, e sobretudo sua reviravolta mais radical, suscitada por Lacan, revelarão cada qual um problema teórico preciso para o qual o conceito de identificação é a solução apropriada. Quais são esses problemas com que Freud e Lacan são confrontados? Responder a isso equivale a reencontrar os desafios freudiano e lacaniano que tornam necessária a existência do conceito psicanalítico de identificação.

O desafio freudiano do conceito de identificação

Longe de ligar dois indivíduos distintos, transformando-se um deles no outro, a identificação se produz, ao contrário, no espaço psíquico de um único e mesmo indivíduo. A modificação freudiana do esquema habitual refere-se, pois, a um ponto essencial: o espaço em que se acha contido o esquema. Com Freud, de fato, abandonamos o espaço usual da distância entre duas pessoas, introduzimo-nos na cabeça de uma delas, isolamos a identificação como um processo específico no campo do inconsciente e, por fim, descobrimos, no próprio interior desse campo, que a referida identificação só tem lugar entre duas instâncias *inconscientes*. Do esquema recebido conservamos os termos *A* e *B,* assim como sua transformação de um no outro, mas, por pensá-lo agora através do prisma do inconsciente, subvertemos suas bases, situando-o e situando a nós mesmos num lugar inteiramente diverso, o lugar psíquico. Que fizemos? Substituímos as relações intersubjetivas por relações intrapsíquicas.[1] Digamo-lo claramente: a identificação, tal como concebida pela psicanálise freudiana, é um processo de transformação efetuado no próprio seio do aparelho psíquico, fora de nosso espaço habitual e imperceptível diretamente por nossos sentidos.

Certamente podemos reconhecer, num processo de análise, exteriorizações clínicas indiretas da identificação, mas nenhuma dessas manifestações jamais mostra tal e qual o mecanismo que atua numa identificação psíquica inconsciente. O dado clínico observável de uma identificação é sempre indireto; não se apresenta, como poderíamos acreditar, à maneira dos fenômenos de semelhança, imitação psicológica ou mimetismo animal. Diversamente desses fenômenos, que refletem de maneira bastante transparente a causa que os provoca, a identificação inconsciente só é indiretamente perceptível. Que um filho, por exemplo, reproduza o comportamento do pai falecido não é um bom exemplo de identificação tal como a entendemos; em contrapartida, que esse mesmo filho fique sujeito a um desfalecimento repentino de caráter histérico parece-nos, ao contrário, uma prova indiscutível da ocorrência de uma identificação inconsciente. Diante desse rapaz desmaiado, o psicanalista reconhecerá a manifestação de uma identificação inconsciente entre o eu do rapaz e o pai morto, ou, mais exatamente, entre o eu e a representação inconsciente do pai morto.[2] Eis o que eu gostaria de transmitir ao leitor: quando se trata do inconsciente, já não estamos no terreno conhecido de uma pessoa entre outras, movendo-se no espaço tridimensional habitual, não estamos mais no nível do indivíduo reconhecido de acordo com um conjunto de referenciais psicológicos e sociais; estamos em outro lugar, no lugar impessoal e inconsciente desse outro indivíduo singularíssimo, heterogêneo, qualificado por Freud de "id psíquico".[3] Com efeito, estamos nesse espaço psíquico, preocupados em compreender como, no cerne do campo inconsciente, dois polos – o eu e o objeto – entram numa relação de identificação. Aí está o desafio freudiano do conceito psicanalítico de identificação: *dar nome ao processo inconsciente realizado pelo eu quando este se transforma num aspecto do objeto*. O eu e o objeto – insisto – sendo aqui considerados apenas em sua condição estrita de instâncias inconscientes.

Contudo, antes de explicitar a natureza dessas duas entidades e de desenvolver a teoria freudiana da identificação, situemos brevemente a essência do desafio lacaniano.

O desafio lacaniano do conceito de identificação

Enquanto Freud propõe o nome de identificação para qualificar a relação de intricação entre duas instâncias inconscientes – o eu e o objeto –, Lacan, em contrapartida, enfrenta um outro problema mais delicado e difícil. O conceito lacaniano de identificação responde a um desafio mais extremo do que o desafio freudiano, já que não se trata mais de dar conta da relação entre dois termos relativamente bem constituídos – um eu determinado identificando-se com um objeto igualmente definido –, mas de dar nome a uma relação em que um dos termos cria o outro. Para Lacan, a identificação é o nome que serve para designar o nascimento de uma nova instância psíquica, a produção de um novo sujeito. Existe aqui, em relação a Freud, uma reviravolta ainda mais radical do pensamento. Agora, estamos longe do esquema tradicional da identificação compreendida como uma transformação entre dois termos previamente existentes, *A* transformando-se em *B*; no momento, estamos diante de um esquema muito diferente, o esquema da causação de um desses termos, produzido pelo outro. Enquanto Freud transplanta o esquema tradicional, deslocando-o do espaço psicológico e tridimensional para o espaço inconsciente, Lacan efetua, além disso, um duplo reviramento: não apenas a identificação é inconsciente, não apenas significa engendramento, mas ainda e sobretudo o sentido do processo é invertido. Em vez de *A* se transformar em *B* – como era o caso em Freud –, *é B que produz A*. A identificação significa que a coisa com a qual o eu se identifica é a causa do eu, ou seja, o papel ativo anteriormente desempenhado pelo eu é, no momento, garantido pelo objeto. Sem abandonar o léxico freudiano, resumiremos numa palavra o desafio lacaniano: o agente da identificação é o objeto, e não mais o eu. Graças ao conceito de identificação, Lacan resolve assim um problema psicanalítico fundamental: *dar nome ao processo psíquico de constituição do eu*, ou, numa formulação mais correta, *dar nome ao processo de causação do sujeito do inconsciente*. Voltaremos a isso.

As categorias freudianas da identificação

Premissas: Que é objeto?

Com vistas a estabelecer posteriormente as distinções lacanianas da identificação, proporei aos leitores reunir as diferentes acepções freudianas desse conceito em duas grandes categorias.[4] Primeiro, a identificação *total* efetuada entre a distância psíquica inconsciente chamada eu e a outra instância, igualmente inconsciente, que podemos chamar de objeto total. E depois, a segunda categoria de identificação, que qualificaremos de *parcial*, em que o eu se identifica com um aspecto, e apenas um aspecto, do objeto. Entretanto, antes de tratar de cada uma dessas categorias, examinemos inicialmente o estatuto dessas entidades inconscientes a que chamamos eu e objeto.

Ater-me-ei aqui a desenvolver unicamente o que me parece levantar mais dificuldades, a saber, a definição do objeto. No que concerne ao eu, pedirei aos leitores que aceitem sem exame adicional a acepção freudiana de um eu inconsciente.[5] Em contrapartida, parece-me indispensável, para a continuação de nosso estudo, que fiquemos de acordo no tocante ao sentido da palavra *objeto*. Muitos mal-entendidos nos escritos psicanalíticos, inclusive nos de Freud, provêm do fato de confundirmos, com grande frequência, o eu com a pessoa que somos, e o objeto com a pessoa do outro. Pois bem, o lastimável termo objeto, às vezes utilizado para descrever a figura de um outro amado e desejado, reveste-se aqui, no contexto do problema da identificação, de um sentido muito preciso. Primeiro, a palavra objeto não designa a pessoa exterior do outro, ou aquilo em sua pessoa que me é dado perceber conscientemente, mas a representação psíquica inconsciente desse outro. Na verdade, para sermos mais exatos, sejamos mais restritivos e matizemos nossas colocações. Estritamente falando, o objeto designa outra coisa que não a representação psíquica *do* outro, entendida como sendo o vestígio de sua presença viva inscrito em meu inconsciente. O termo objeto designa, verdadeiramente, uma representação inconsciente *prévia* à existência de outrem, uma representação que já se acha ali e na qual virá escorar-se a realidade externa da pessoa do outro ou de qualquer de seus atributos vivos. Com todo o rigor, não existem no inconsciente representações *do* outro, mas apenas representações inconscientes, impessoais, por assim dizer, à espera de um outro externo que venha ajustar-se a elas.

Para melhor delimitarmos nossas colocações, cabe ainda assinalar duas coisas: primeiro, que o ajustamento desse outro externo ao molde de uma representação inconsciente já presente pode produzir-se sem que o tenhamos encontrado efetivamente como uma pessoa viva. O outro, chamado externo, pode corresponder a uma evocação muito remota de alguém que talvez nem sequer tenha jamais existido: um personagem mitológico, uma figura do romance familiar etc. E, além disso, notemos também que o chamado outro, seja ele uma presença imediata ou uma evocação remota, pode ser percebido fora de minha consciência e registrado à minha revelia no inconsciente. Explico-me: tomemos, por exemplo, a cena de uma mãe que evoca diante do filho um distante ascendente familiar. Sem que o filho se aperceba, um simples detalhe do relato ligado ao personagem evocado vem inscrever-se em seu inconsciente. Isso equivale a dizer que um detalhe sem importância aparente – agora isolado e completamente desligado da figura do ancestral – veio encaixar-se no molde de uma representação inconsciente já presente. Interroguemo-nos, então: nessa sequência, onde localizaríamos o objeto? O objeto não é a mãe que fala, nem o personagem familiar rememorado, nem tampouco o detalhe inconscientemente percebido, mas a representação que já se encontra ali, confirmada, nesse momento, pela inscrição inconsciente de um detalhe do relato. Em suma, é exatamente essa representação, consagrando a existência inconsciente do outro, que chamamos de objeto.

Apesar desses esclarecimentos para melhor expor as diferentes categorias freudianas da identificação, serei levado a empregar o vocábulo "objeto" sem conseguir sempre evitar a ambiguidade entre duas acepções: a primeira, muito geral, frequentemente utilizada, considera como objeto a pessoa externa do outro eleito ou de um de seus atributos; a segunda, estritamente analítica, considera o objeto como uma representação inconsciente. Assim, para afastar a primeira acepção, excessivamente confusa, proponho ao leitor combinarmos uma regra de leitura: de agora em diante, todas as vezes que ele deparar com o termo "objeto", deverá fazer o esforço de traduzi-lo mentalmente pelo vocábulo mais exato de "representação inconsciente", ou seja, fazer um esforço para não imaginar uma pessoa, mas pensar numa instância psíquica inconsciente.

Estabelecidas essas premissas, examinemos agora as duas grandes categorias freudianas da identificação, tal como as esquematizamos na Figura 1.

As categorias freudianas: a identificação total e as identificações parciais

A identificação total

A primeira identificação *total* do eu com o objeto total, designada na obra de Freud pelo nome de identificação primária, é essencialmente mítica; estritamente falando, ela não existe e não remete a nenhum fato clínico direto. Constitui, antes, uma espécie de precondição mítica, uma alegoria fundamental da maneira como

**Identificação entre duas instâncias inconscientes:
o eu e o objeto**

1. Identificação do eu ⟶ Identificação primária com o Pai
com o objeto total: mítico da horda primeva

2. Identificação parcial do eu
com um aspecto do objeto:

a) com o *traço distintivo* do objeto
(identificação regressiva)

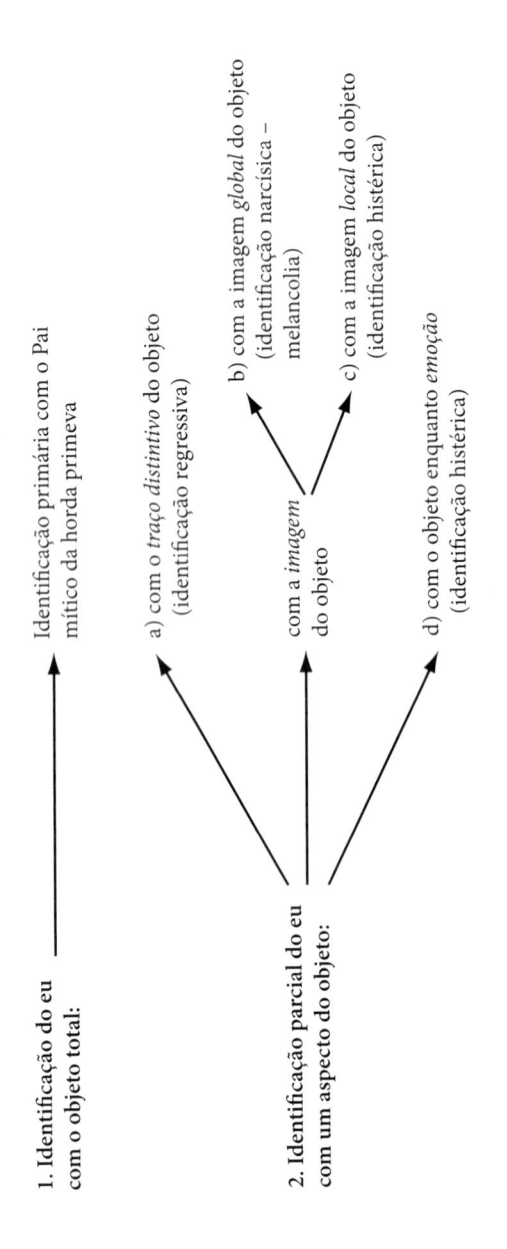

com a *imagem* do objeto

b) com a imagem *global* do objeto
(identificação narcísica – melancolia)

c) com a imagem *local* do objeto
(identificação histérica)

d) com o objeto enquanto *emoção*
(identificação histérica)

FIGURA 1
Esquemas das categorias freudianas da identificação.

se transmitiria de geração a geração, além dos limites dos homens, a força da vida, a libido imortal. O objeto total dessa identificação primária é o Pai mítico da horda primeva, que os filhos devorarão até que cada um deles se torne pai. Eles incorporam pela boca, e com o prazer oral de comer, o corpo despedaçado do Pai, ou, mais exatamente, um pedaço do corpo contendo a força paterna inteira. Por isso o eu ocupa inteiramente o lugar paterno, por assimilar libidinalmente (prazer de boca) um excerto corporal da plena potência libidinal do Pai.

As identificações parciais

A segunda categoria de identificação concerne à identificação do eu com um *aspecto parcial* do objeto. Mas, o que se deve entender por "aspecto parcial do objeto"? Já que combinamos traduzir a palavra objeto por representação inconsciente, o aspecto parcial do objeto assinala o aspecto ou a forma que uma representação pode adotar. Conforme o aspecto que o objeto possa assumir – ser um *traço distintivo,* uma *imagem global,* uma *imagem local,* ou ainda uma *emoção* –, estaremos na presença de quatro modalidades de identificações parciais. Haveria, pois, quatro fusões possíveis do eu com uma forma do objeto, ou, o que dá na mesma, com uma forma particular da representação inconsciente. Claro está que essa classificação das diversas identificações parciais presentes na teoria freudiana é arbitrária. Nosso objetivo não é retomar exaustivamente a teoria freudiana da identificação, mas apresentar esquematicamente seus eixos principais, aproximando-os das três distinções lacanianas da identificação: *simbólica, imaginária* e *fantasística*. Podemos assim estabelecer uma tabela de correspondências (cf. *Fig. 2*).

FREUD	LACAN
Identificação com o **traço** do objeto	Identificação **simbólica** do sujeito com um significante
Identificação com a **imagem** do objeto	Identificação **imaginária** do eu com a imagem do outro
Identificação com o objeto enquanto **emoção**	Identificação **fantasística** do sujeito com o objeto enquanto emoção

FIGURA 2
Tabela de correspondências entre as categorias
freudianas e lacanianas da identificação

1. *Identificação parcial com o traço do objeto*

De saída, a mais estudada de todas as identificações parciais e ponto de partida dos desenvolvimentos lacanianos é a identificação do eu com um *traço bem discernível* de um ser desaparecido a quem fomos profundamente apegados. O aspecto parcial do objeto é aqui um traço saliente, e o próprio objeto é um outro amado, desejado e perdido.[6] A modalidade identificatória de que estamos falando pode ser ilustrada de maneira muito vívida: trata-se da identificação do eu com um traço de um objeto amado, desejado e perdido, e depois com o mesmo traço num segundo objeto, num terceiro e, enfim, com o mesmo traço em toda a série de objetos amados, desejados e perdidos durante a vida. O eu se transforma, assim, nesse traço incansavelmente repetido na sucessão dos objetos amados, desejados e perdidos no curso da existência. É como se vocês se identificassem com este ou aquele detalhe sempre reencontrado em cada um dos parceiros das diversas ligações que balizaram sua vida. Se, por exemplo, supusermos esse traço como sendo o timbre de uma voz, e todos os seres que vocês amaram, desejaram e perderam como marcados por uma sonoridade vocal idêntica, concluiremos que seu eu não é outra coisa senão sonoridade pura, senão a inflexão singular de uma voz múltipla e, no entanto, única. Se esse eu pudesse falar, declararia: "sou essa vibração sonora, esse timbre ímpar de uma voz sempre reencontrada", ou então, "sou esse sorriso incessantemente esboçado no rosto de meus amantes", ou ainda, "sou esse olhar incomparável que me prende todas as vezes". Aí está o que Freud qualifica de "identificação regressiva": o eu estabelece, primeiro, um vínculo com o objeto, depois desliga-se dele, volta-se sobre si mesmo, regride e se decompõe nos traços simbólicos daquilo que não existe mais. Peço-lhes que retenham muito particularmente essa modalidade de identificação freudiana – a identificação com o traço distintivo –, porque foi nela que Lacan escorou as bases de sua própria teoria da identificação simbólica.

2. Identificação parcial com a imagem global do objeto.
O caso da melancolia

Outra modalidade da identificação do eu com um aspecto parcial do objeto concerne, desta vez, não a um traço, mas à *imagem do objeto*. Isso quer dizer que a representação inconsciente do objeto amado, desejado e perdido é uma imagem. Pois bem, distingo dois tipos de imagens: ou bem me identifico – vamos escrever na primeira pessoa do singular, como se fosse o eu inconsciente que estivesse enunciando e falando –, portanto, ou bem me identifico com o aspecto-imagem global do objeto amado, desejado e perdido, ou bem me identifico com o aspecto-imagem local do mesmo objeto. O melhor exemplo do primeiro caso – *identificação com a imagem global* – é a identificação patológica que tem lugar na melancolia. Tomemos um dado menino cujo apego intenso a um gato fez deste seu companheiro privilegiado na realidade íntima e cotidiana. Um dia, o menino toma conhecimento da morte trágica do animal; e, uma semana depois, para espanto geral, apresenta uma conduta bizarra. Seu corpo adota um jeito felino, ele bebe líquidos às lambidas, mia e se move como um gato. Essa é uma forma de identificação clinicamente muito importante, que amiúde detectamos nas diversas síndromes melancólicas: o eu reproduz fielmente os contornos e os movimentos daquele que o deixou, e assim se torna idêntico à sua imagem total. Essa maleabilidade notável para vestir-se com a pele do outro se explica facilmente: a razão dela é o narcisismo. A imagem do objeto amado, desejado e perdido, que o eu entristecido agora torna sua, é na verdade sua própria imagem, que ele havia investido como sendo a imagem do outro. O eu não encontra outra pele senão a anteriormente amada porque, ao amá-la, refletia-se nela e amava a si mesmo. Se hoje o menino melancólico banca o gato, é justamente porque a imagem de seu gato vivo já era sua própria imagem. Freud soube resumir o narcisismo da identificação melancólica numa frase célebre e belíssima: "A sombra do objeto recai sobre o eu". A sombra do objeto amado, desejado e perdido, sua imagem tanto quanto imagem do eu, recai sobre o eu, recobre-o e o decompõe[7].

3. Identificação parcial com a imagem local do objeto. *O caso da histeria*

Vamos agora à terceira modalidade da identificação parcial; o eu se identifica aqui com uma imagem não mais global, porém *local*. Essa modalidade identificatória, iremos reencontrá-la modificada na teoria lacaniana sob o nome de *identificação imaginária*. O eu efetua uma identificação com a imagem do outro contemplado apenas enquanto ser sexuado, ou, mais exatamente, com a imagem da parte sexual do outro, ou, melhor ainda – conforme uma expressão de K. Abraham –, com a imagem local da região genital do outro. Esta expressão, "região genital", é empregada por Abraham para indicar o lugar imaginário do sexo do outro, intensamente investido pelos pacientes histéricos em detrimento do restante da imagem da pessoa. Como se o sujeito histérico focalizasse e precipitasse todo o seu eu no ponto genital da imagem do outro, anulando o resto dessa imagem. Entretanto, Abraham reconhece também a possibilidade inversa: o histérico se identifica com a imagem de conjunto da pessoa, mas desprovida de sexo, como se, no nível da genitália, a imagem fosse opacificada por uma mancha branca. Ora, quer estejamos na presença de um investimento exclusivo e polarizado no lugar genital, ou de um investimento global da imagem, excetuando o lugar genital, tratar-se-á sempre de uma identificação parcial, por estar sempre limitada a uma imagem truncada. É que, mesmo na última variação da identificação com a imagem global da pessoa, com exceção de sua região genital, trata-se de uma imagem parcial.

Para melhor ilustrar essa modalidade identificatória, guardemos o exemplo clínico da histérica; ele nos será muito útil para discernirmos facilmente as duas formas de identificação parcial com a imagem local do objeto: seja com sua imagem reduzida exclusivamente ao lugar genital, caso em que o objeto será percebido como sexualmente *desejável*, seja com sua imagem privada do lugar genital, caso em que o objeto será percebido, por conseguinte, como sexualmente *desejante*, na medida em que, sendo furado, tenderá a completar sua falta. Lembremo-nos da intensidade com que Dora pôde assumir os dois papéis complementares desempenhados pela Sra. K. (desejável) e pelo pai (desejante), na cena de sua própria fantasia histérica. Primeiro, o papel em que a Sra. K. se revela um objeto sexualmente *desejável* aos olhos do pai; a Sra. K. fica então reduzida à dimensão exclusiva de coisa sexual, de coisa sexualmente desejável por um amante masculino.[8] Mas, reciprocamente, Dora pôde também desempenhar o papel oposto do *desejante* habitado pela falta; identificou-se, pois, com seu pai desejoso de uma mulher. Ora, cabe-nos observar aqui que o ímpeto desse movimento identificatório com o desejante é imprimido por uma tendência fundamental do eu histérico a se identificar não apenas com um desejante que busca, mas com um desejante que goza com o buscar, um desejante puro que goza por se achar em estado de desejo. Assim, a identificação mais imediata de Dora com o pai desejante faz parte de uma linha estendida rumo ao horizonte intangível, onde enfim se encontraria a essência enigmática da feminilidade. Dora tenta, pois, além de todos os limites, unir-se à Sra. K., desta vez fantasiada não como coisa desejável, mas como transportada pelo mais elevado desejo, o misterioso desejo feminino, desejo puro sem objeto determinável.

4. Identificação parcial com o objeto enquanto emoção. O caso da histeria

Para encerrar nosso percurso freudiano, abordemos agora a última modalidade da identificação parcial, apoiando-nos ainda numa outra variedade da relação histérica com os objetos do desejo.[9] Essa variedade, um tanto quanto inadmissível para o pensamento, tem, ainda assim, um alcance clínico decisivo. O eu histérico identifica-se aqui não apenas com a *imagem local do objeto* – seja a Sra. K. sexualmente desejável, seja o pai que deseja a dama –, mas também com a *emoção* do orgasmo fantasiado por Dora durante o abraço entre um homem e uma mulher. Já em 1895, Freud não hesitara em fazer do ataque histérico o equivalente de um orgasmo. Quando vocês virem uma histérica desmaiar, não tenham dúvida – decidiu Freud –, o sujeito faz mais do que gozar, ele se identifica com a emoção sexual compartilhada pelos parceiros do casal fantasiado; fantasiado, entendamos, no campo do inconsciente. Já não basta afirmar que o eu histérico se identifica com a imagem do outro sexualmente desejável, nem com a do outro sexualmente desejante, é preciso ir ainda mais longe e concluir – mesmo que isso pareça surpreendente – pela perfeita assimilação do eu ao próprio fato do gozo do casal.

Esclareçamos aqui que, do ponto de vista metapsicológico, não podemos considerar essa identificação com o gozo como uma identificação do eu com uma forma da representação inconsciente, tal como aconteceu com as categorias precedentes de identificações parciais. Estritamente falando, de fato, o gozo não é representado no inconsciente, sua representação falta e, por conseguinte, a identificação do eu com o gozar deve ser concebida como uma identificação do eu com uma ausência de representação, e não com um aspecto da representação. Nesse caso de identificação histérica com o gozo, não podemos mais traduzir o vocábulo "objeto" por "representação inconsciente", mas por "falta de representação". Assim, afirmar que o eu se identifica com o objeto enquanto emoção significa, neste ponto, que o eu vem em lugar de um buraco na trama das representações psíquicas inconscientes. Essa observação nos será muito útil para compreender a identificação lacaniana que se produz no seio de uma fantasia.

Como vemos, na unidade de uma única entidade clínica, a histeria, encontramos contida a diversidade das três variedades da identificação do eu com um aspecto parcial do objeto. Nenhuma outra estrutura clínica encerra uma pluralidade tão nítida de identificações parciais, irredutíveis entre si e também complementares. A histeria consiste, definitivamente, na assunção, um por um, de todos os lugares do cortejo sexual, de todas as posições relativas ao desejo. Todo sonho, sintoma ou fantasia histéricos condensa e atualiza uma identificação tríplice: identificação com o objeto desejado, com o objeto desejante e, por fim, com o objeto de gozo dos dois amantes. À questão mais geral sobre a natureza do objeto da identificação histérica, portanto, caberia responder: o objeto não é a mulher amada, nem o homem amante, nem tampouco sua emoção sexual comum, mas tudo isso junto e simultaneamente. Numa palavra, o objeto central do desejo da histérica não é um objeto preciso, mas o *elo,* o intervalo que liga entre si os parceiros do casal fantasiado.

As categorias lacanianas da identificação

Após esse esboço necessário da teoria freudiana da identificação, passemos à abordagem lacaniana propriamente dita.

Já dissemos que o conceito lacaniano de identificação responde a um desafio teórico mais radical do que o desafio freudiano. Para Lacan, a identificação designa o nascimento de um lugar novo, a emergência de uma nova instância psíquica. Conforme a natureza desse lugar, podemos distinguir duas categorias de identificações: a primeira está na origem do *sujeito do inconsciente* e nós a chamamos identificação *simbólica;* a segunda está na origem do eu e nós a chamamos identificação *imaginária.* Devemos acrescentar ainda uma terceira categoria, mais particular, que não concerne exatamente à produção de uma nova instância, mas à instituição de um complexo psíquico denominado fantasia; esta última modalidade identificatória é por nós qualificada, por conseguinte, de *fantasística.*

Gostaria de apresentar-lhes essas três modalidades da identificação lacaniana definindo pouco a pouco os diferentes elementos que nela intervêm. Os componentes da identificação simbólica são o significante e o sujeito do inconsciente; os da identificação imaginária são a imagem e o eu; e por fim, os da identificação fantasística são o sujeito do inconsciente e o objeto *a*. Ao longo da definição desses elementos se irão discernindo sucessivamente as três categorias da identificação.

Identificação simbólica do sujeito com um significante: nascimento do sujeito do inconsciente

Comecemos pelo significante. Que vem a ser um significante? O termo significante não designa nada de uma realidade diretamente tangível e observável; corresponde, antes, à necessidade que a psicanálise tem de abstrair e formalizar certos fatos – eles, sim, observáveis – que se reproduzem e se repetem com insistência ao longo da vida. Um significante é uma entidade estritamente formal, indiretamente referida a um fato que se repete e definida pelas relações lógicas com outras entidades similarmente significantes. Em suma, a categoria "significante" é determinada por três referências.

Um significante é uma entidade formal. Antes de mais nada, o significante é a referência indireta a um fato repetitivo observável, que consiste num equívoco ou num ato involuntário na conduta consciente de um indivíduo. O significante representa na ordem formal e abstrata o fato concreto de um equívoco que surpreende e confunde o ser falante. Quando, por exemplo, cometo um lapso, posso qualificá-lo de significante, porque, embora seja uma manifestação produzida em mim, ela me escapa, me espanta e revela aos outros, e às vezes a mim mesmo, um sentido que até então permanecera oculto. A primeira referência na definição de um significante remete, portanto, à ocorrência de um equívoco revelador de meu desejo, um equívoco surgido tão a propósito e tão oportunamente que se dá a mim, fora de mim, como minha própria verdade. Observe-se que o significante pode se apresentar, indiferentemente, sob uma grande variedade de formas ou, antes, pode formalizar uma grande variedade de fatos. O significante pode ser uma palavra, um gesto, o detalhe de um relato, a inspiração de um poema, a criação de um quadro, um sonho ou mesmo um sofrimento ou ainda um silêncio. Todas essas manifestações humanas podem ser legitimamente qualificadas de significantes, sob a condição estrita de que cada uma delas permaneça como expressão involuntária de um ser falante.

Um significante nunca existe sozinho. A segunda referência do significante, que nos permitirá situar mais particularmente a identificação simbólica, já não é factual, mas exclusivamente formal. Diz respeito à articulação lógica entre, de um lado, um significante referido a um ato não intencional, tomado isoladamente no momento de seu advento, e, de outro lado, todos os significantes que marcam outros atos similares, passados ou futuros. O valor formal de um significante reside em sua pertença a uma série de outros significantes, cada um sendo a formalização abstrata de um equívoco passado ou futuro. *O significante, portanto, nunca está só, é sempre um dentre outros.* Um aforismo lacaniano resume bem essa relação formal entre um significante e a série a que ele pertence: um significante só é significante para outros significantes. Ou seja, um significante só tem valor – valor formal, pois – quando faz parte de um conjunto de unidades idênticas a ele. Por conseguinte, ao qualificarmos de significante este ou aquele equívoco, não devemos pensar que ele é único e solitário, mas considerá-lo como um evento necessariamente ligado a outros eventos da mesma ordem.

O sujeito do inconsciente é o nome de uma relação abstrata entre um significante e um conjunto de significantes. A terceira referência que define o significante, ainda mais formal do que a anterior, nos introduzirá diretamente no centro do mecanismo da identificação simbólica ou, mais exatamente, no nascimento do sujeito do inconsciente. Quando ocorre um evento significante – sempre articulado com outros significantes –, produz-se, segundo Lacan, um efeito singular que assume o nome de sujeito do inconsciente. A despeito do vocábulo "sujeito", que se presta à confusão, a expressão lacaniana "sujeito do inconsciente" não designa a pessoa que se engana ao falar, nem tampouco seu eu consciente ou inconsciente, mas nomeia uma instância altamente abstrata e, finalmente, não subjetiva. O sujeito do inconsciente é uma função quase similar às funções matemáticas, pois se define estritamente no quadro de uma correspondência estabelecida entre o evento significante atual e todos os outros eventos significantes passados ou futuros, virtualmente ordenados numa série articulada. Em outras palavras, o sujeito do inconsciente é o nome com que designamos a experiência concreta de um equívoco, ao pensarmos essa experiência no registro formal, e a contamos como um significante atual em sua relação com os outros significantes virtuais. O ser do sujeito se reduziria, pois, a uma relação pura entre um elemento e um conjunto definido. Mas, por que chamar pelo nome de sujeito – vocábulo conotado com um sentido tão evocador – uma relação formal tão friamente lógica? É precisamente a resposta a essa pergunta que nos introduzirá mais uma vez no mecanismo da identificação simbólica.

O sujeito do inconsciente é um traço ausente de minha história e que, no entanto, marca-a para sempre. Comecemos por examinar mais de perto em que consiste essa relação entre um significante atual e os outros significantes virtuais. Se, ao serem colocados exatamente no momento doloroso da ocorrência inesperada de um sintoma, vocês voltarem a pensar em todas as outras vezes em que viveram o sofrimento, descobrirão que, à parte as circunstâncias muito diferentes, destaca-se um detalhe invariável que marca todos esses momentos de dor. Esse elemento comum, esse signo distintivo que se repete em cada um dos acontecimentos significantes para além de suas diferenças, é o que Lacan qualifica com o termo *traço unário*. Traço porque marca cada instante repetido; unário por ser o Um que unifica e reúne os diferentes significantes sucessivos. Não deixaremos de reconhecer neste termo, traço, o mesmo vocábulo empregado por Freud para caracterizar a identificação regressiva ou a identificação do eu com o traço distintivo do objeto. Enquanto Freud procura o eu no traço que se repete e que liga em conjunto os seres amados, desejados e perdidos, Lacan passa a um registro mais abstrato, enumera as pessoas amadas e perdidas como significantes seriados, isola seu traço comum e encontra, finalmente, o sujeito do inconsciente. Por isso o sujeito do inconsciente não é apenas o nome de uma relação entre um acontecimento atual e outros acontecimentos virtuais, mas o nome da marca invariavelmente presente ao longo da vida. O sujeito do inconsciente é mais do que uma relação; ele é, ele próprio, o traço que unifica o conjunto dos significantes.

A identificação simbólica consiste precisamente no nascimento do sujeito do inconsciente, compreendido como a produção de um traço singular que se distingue ao retomarmos um a um cada significante de uma história. Certamente, poderíamos ter estabelecido um paralelo com Freud, dizendo: enquanto Freud procura o eu no traço comum aos objetos amados e perdidos, Lacan busca o sujeito no traço comum aos significantes. Isso teria sido legítimo, mas apenas pela metade, pois existe uma diferença radical entre os dois autores. Não só Lacan se situa no campo estrito da lógica, como impele o formalismo até o ponto de extrair o traço unificador do conjunto que ele unifica. Sendo um elemento destacado e externo ao conjunto por ele unificado, o traço nunca será reconhecido entre as unidades reunidas e enumeráveis. Se voltarmos ao exemplo daquele que pensa em seu passado e considera os acontecimentos dolorosos que balizaram sua história, ele naturalmente esquecerá de incluir o traço distintivo que marca cada um desses acontecimentos. Serge pode muito bem lembrar-se de sua separação de Anne, do rompimento com Laure e do divórcio de Sandrine, mas só muito tarde reconhecerá o quanto essas três mulheres se pareciam no timbre da voz. Sobretudo, porém, ele provavelmente jamais reconhecerá como, nessa singularidade percebida em suas parceiras, residia sua própria singularidade, sua identidade mais íntima e desconhecida dele mesmo. Quando Serge enumera os momentos de sua vida, não sabe computar a si mesmo, pois, no cômputo, esquece de si. Ora, justamente o sujeito do inconsciente é esse "si mesmo" esquecido do cômputo. Serge esquece porque não pode se aperceber de que ele próprio é o traço sonoro da voz das mulheres amadas, o traço unário irremediavelmente ausente do cômputo. Uma vez que esse traço não é computável, ele é chamado por Lacan de *menos um*. Subtraído de quê? Subtraído do conjunto contado. Eis aí, portanto, no que consiste a identificação simbólica: o sujeito do inconsciente está identificado com um traço, sempre o mesmo, que baliza invariavelmente uma vida significante e, apesar disso, é subtraído dessa vida. Em termos precisos, *a identificação simbólica designa a produção do sujeito do inconsciente como um sujeito subtraído de uma vida*. Formulemos isso de outra maneira, respondendo à pergunta: que devemos entender por sujeito do inconsciente? O sujeito do inconsciente *é* um sujeito a menos na vida de alguém, o traço ausente, exterior a essa vida, e que no entanto a marca para sempre. Por isso a singularidade de uma vida significante é dada por uma marca que nos permanece exterior. Aí está o modo de que dispomos para existir no inconsciente: existimos como uma marca que nos singulariza e da qual, no entanto, estamos despojados. Foi justamente esse despojamento, essa subtração de nossa vida de um traço único e íntimo, chamado sujeito, que levou Lacan a utilizar o termo *privação*: no inconsciente, a vida é privada do traço simbólico que a singulariza desde o exterior, ou seja, é privada do sujeito do inconsciente.

Para dissipar alguns mal-entendidos terminológicos, gostaria de lembrar sucintamente as outras fórmulas com as quais os psicanalistas lacanianos denominam o traço unário. Cada uma destas expressões, *ideal do eu* e *falo*, situa o traço unário num contexto diferente e, por conseguinte, concebe diferentemente a identificação simbólica. Quando essa instância é chamada de *traço unário*, inscrevemo-la no contexto da repetição dos significantes; quando se chama *ideal do eu*, pensamos nela como o referencial constante que regula as identificações sucessivas do eu com as imagens; e por último, quando ela é chamada de *falo*, concebemo-la como o referencial que ordena as diferentes modalidades de satisfação sexual. Em suma, trata-se sempre da mesma instância externa ao conjunto regulado por ela, e à qual damos o nome de *traço unário* quando o conjunto é um conjunto de significantes, de *ideal do eu* quando o conjunto é o das imagens, e, finalmente, de *falo*, quando o conjunto é o dos diferentes modos que a sexualidade adota.

Identificação imaginária do eu com a imagem do outro: o nascimento do eu

Abordemos agora o modo de identificação que chamamos imaginária e que determina a estrutura do eu. Encontramos mais uma vez o desafio teórico que levou Lacan a designar pelo nome de identificação o processo de formação de uma nova instância psíquica, neste caso, o eu. No momento inaugural desse processo formador, qualificado por Lacan como estádio do espelho, o eu é, antes de mais nada, um esboço, a marca de uma experiência perceptiva excepcional deixada na criança. A criança é então captada, como jamais voltará a ser, pelo impacto fulgurante nela provocado pela visão *global* de sua imagem refletida no espelho. O eu, nesse momento, e apenas nesse momento, não é mais do que a marca do *contorno* da imagem unitária da criança, a épura – uma linha, simplesmente – da forma humana do homenzinho.[10] Esse arcabouço originalmente vazio a que chamamos eu-épura irá se consolidando na medida do aparecimento de outras experiências imaginárias, não mais globais, porém parciais. Esse primeiro eu-épura ficará como o quadro simbólico que contém todas as imagens sucessivamente percebidas, constitutivas do eu-imaginário.

Na teoria lacaniana, o eu-imaginário não se confunde com a consciência de si nem com uma das três instâncias tópicas discriminadas por Freud (ego, superego, id), mas se define como uma estratificação incessante de imagens continuamente inscritas em nosso inconsciente. Para compreender o que é o eu e como ele se forma no correr das identificações imaginárias sucessivas, cabe admitir primeiro que, para a psicanálise, o mundo externo não se compõe de coisas e seres, mas é fundamentalmente composto de imagens. Quando acreditamos perceber um objeto, nosso eu percebe apenas a imagem do objeto. Assim, entre o eu que se nutre de imagens e o mundo – fonte das imagens – estende-se uma dimensão imaginária única, sem fronteiras, na qual o mundo e o eu são uma única e mesma coisa feita de imagens. Se aceitarmos essas premissas lacanianas, reconheceremos que, em se tratando do eu, a distinção interno/externo é abolida: o eu situa-se ali, na imagem aparentemente externa – por exemplo, a de meu semelhante –, mais do que no sentimento consciente de mim mesmo.

Contudo, as imagens constitutivas do eu-imaginário não são imagens quaisquer. Para Lacan, o eu se estrutura segundo uma estratificação bem ordenada de imagens sucessivas, sendo cada uma percebida com a paixão do ódio, do amor e da ignorância. O eu só se identifica seletivamente com as imagens em que se reconhece, quer dizer, com imagens pregnantes que, de perto ou de longe, evocam apaixonadamente a figura humana do outro, seu semelhante. Mas o que é que liga afetivamente o eu a essas imagens eleitas do outro, transformadas em sua substância exclusiva? Não basta definir o eu como o precipitado das imagens remetidas por outrem; é preciso ainda delimitar o que, dessas imagens, liga-o com paixão até constituí-lo.

A única coisa que prende, atrai e aliena o eu na imagem do outro é justamente aquilo que não se percebe na imagem, a saber, a parte sexual desse outro. A verdadeira captação imaginária do eu não é a efetuada pela imagem, mas pela parte não perceptível, negativada da imagem. É com essa parte oca dentro da imagem que o eu realmente se identifica. Por isso é que gostaríamos de concluir: a identificação imaginária que dá origem ao eu é mais do que uma sequência de imagens sucessivas, é fundamentalmente a fusão do eu com a parte furada da imagem do semelhante.

Retomemos ponto a ponto nossas colocações principais sobre a identificação imaginária:

- O eu imaginário forma-se no interior do quadro do "eu" [*Je*] simbólico inaugurado durante o estádio do espelho.
- Para o eu, o mundo não passa de imagens. Por isso existem continuidade e constância entre ele e o mundo. O eu situa-se ali, na imagem aparentemente exterior, e o mundo está em mim na imagem aparentemente mais íntima.
- Nem todas as imagens do mundo são constitutivas do eu. O eu só percebe as imagens em que se reconhece, ou seja, imagens pregnantes que, de perto ou de longe, evocam apaixonadamente a figura humana do outro, seu semelhante.

- A parte imaginária do semelhante que atrai a percepção do eu e o aliena não é, falando propriamente, a forma humana em geral, mas tudo aquilo que, da imagem, é conotado como sexual.
- O narcisismo inerente à identificação imaginária do eu não se reduz à fórmula simples do "amar a si mesmo através da imagem do outro". O eu-Narciso deveria definir-se, antes, pela fórmula: "amar a si mesmo como se ama o sexo da imagem do outro" ou, mais diretamente, "eu amo a mim mesmo como amo meu sexo".

Em suma, o eu só se forma nas imagens pregnantes que lhe permitem, de perto ou de longe, voltar-se sobre si mesmo e confirmar sua natureza imaginária de ser sexual.

Identificação fantasística do sujeito com o objeto: nascimento de um complexo psíquico chamado fantasia

Para terminar, trataremos do terceiro modo de identificação que decide sobre a estrutura da fantasia inconsciente. Para Lacan, um amplo espectro de formações clínicas, que vão desde os sonhos diurnos até alguns delírios, se explicaria segundo uma matriz formal composta de dois termos: o sujeito do inconsciente, cujo estatuto de entidade formal acabamos de justificar, e o objeto, caracterizado até aqui como sendo a emoção sexual com que o eu histérico se identifica, e que agora definiremos melhor. A relação entre esses dois termos reduz-se essencialmente a uma assemelhação entre um e outro, traduzida pela fórmula $S \lozenge a$, em que o losango indica a própria operação da identificação do sujeito com o objeto.

Para compreender a natureza desse objeto a com que o sujeito se identifica e conhecer, desse modo, o motor principal da identificação fantasística, tomemos o exemplo de uma fantasia que se exprime, não pelo relato de um paciente em análise, mas por uma ação motora concretamente efetuada no espaço e no tempo. Notemos que a fantasia inconsciente pode manifestar-se tão bem por intermédio de palavras quanto, mais diretamente, sob a forma de um agir. Eis o caso de um menino de dez anos, sujeito a acessos frequentes de cólera, tomado por uma grande excitação motora e capaz de destruir o primeiro objeto ao alcance de sua mão. Nesses momentos marcados por gritos e lágrimas, ele ameaça os pais de se matar com uma faca ou de se atirar pela janela, ameaça esta que tentou várias vezes pôr em prática.

Coloquemo-nos então a questão: nessa curta evocação clínica, onde reconhecer o lugar do objeto *a*, e como explicar a identificação fantasística? Para situar bem o objeto, é preciso, primeiro, distinguirmos cuidadosamente o *afeto* dominante numa fantasia (no exemplo, o ódio e a cólera manifestos) e a *tensão psíquica inconsciente* não observável, na origem da fantasia. No tocante a esta última, sejamos mais exatos. A tensão que a atividade pulsional procura descarregar através da fantasia exteriorizada pela agitação motora segue, na realidade, um destino duplo. Por um lado, é efetivamente descarregada, transformando-se em força muscular, e por outro, permanece expectante, errando pelo espaço psíquico. Uma parte, portanto, é metabolizada como fantasia, e a outra persiste como um resto irredutível que alimenta e arrasta continuamente a pulsão pelo caminho da descarga, isto é, pelo caminho de produzir fantasias novamente. Digamos, num primeiro momento, que o objeto, segundo Lacan – o objeto *a* –, coincidiria justamente com esse excesso de energia constante, não conversível em fantasia, mas ainda assim causa das fantasias futuras.

Situemos ainda o lugar do objeto, porém mudando de perspectiva. Coloquemo-nos, desta vez, no ponto de vista, não da causa e da origem da fantasia, mas de sua função como produto psíquico já elaborado. Com efeito, a fantasia é uma formação psíquica, um produto destinado a entreter, à maneira de uma isca, o ímpeto da pulsão, e a evitar assim que ela atinja o limite hipotético de um gozo intolerável que signifique a descarga total da energia pulsional. A função da fantasia inconsciente é, desse modo, barrar o acesso a um gozo absoluto e satisfazer parcialmente a pulsão, nem que seja mantendo sempre vivo esse excedente de energia que a fantasia não consegue canalizar. Como se, no momento do acesso, o menino da fantasia exclamasse: "Prefiro me deixar levar pela pulsão de destruir ou de me destruir, e preservar em mim uma excitação inextinguível, do que ser dissolvido no esvaziamento sem limite de uma descarga pulsional completa!". Ou ainda: "Prefiro sofrer em meu acesso e satisfazer parcialmente a pulsão do que desaparecer sob o peso de um sofrimento infinito." Numa palavra, a fantasia é uma defesa, uma proteção do eu da criança contra o medo do aniquilamento representado pela descarga total de suas pulsões. Isto, ao preço de fazê-lo sofrer, arrastando-o para uma crise motora eventualmente perigosa, e sem nunca decompor inteiramente uma força pulsional sempre ativa.

Mas o objeto não é apenas um excedente de energia pulsional à deriva e na origem de diversas formações psíquicas. É, antes de mais nada, uma tensão de natureza sexual, na medida em que ela está ligada a uma fonte corporal erógena, a uma parte erotizada do corpo, sempre presente no cerne de uma fantasia. No exemplo clínico que nos ocupa, a satisfação pulsional – ou melhor, a parcela de energia descarregada – é possibilitada graças à mobilização do conjunto dos músculos, transformados, por ocasião do acesso motor, na região corporal eminentemente sexualizada. Entendamo-nos. Quer a tensão pulsional seja transformada em força muscular, ou, ao contrário, permaneça não utilizada (objeto *a*), ela continua a ser essencialmente de natureza sexual. A zona erógena do corpo marca com sua sexualidade tanto o excesso de energia não convertida quanto a energia descarregada.

O objeto *a* adotará, por conseguinte, diferentes figuras, e terá diferentes denominações conforme a zona erógena do corpo prevalente na fantasia. Se a zona erógena dominante é a boca, o objeto *a* assumirá a figura do seio e a fantasia será chamada fantasia oral; se a zona é o ânus, o objeto assumirá a forma excrementícia e a fantasia se caracterizará como uma fantasia anal; se a região erógena está localizada no olho, o objeto se revestirá da figura do olhar e a fantasia será chamada de "fantasia escópica" etc. No caso clínico do menino destruidor e autodestruidor, a fonte erógena dominante corresponde à massa muscular inteira, o objeto assume a forma da dor inconsciente, e a fantasia, por fim, é denominada de fantasia sadomasoquista. Em suma, as crises coléricas sofridas pelo menino atualizam uma fantasia organizada em torno do objeto central *a* que é o gozo inconsciente de sofrer.

Mas, dito isso, qual é o lugar da identificação na fantasia? Havíamos sublinhado que o mecanismo estruturante de uma fantasia resume-se na identificação do sujeito com o objeto. Sustentar que o sujeito se identifica com o objeto ($ ◇ *a*) ou que, na fantasia, o sujeito *é* o objeto, significa simplesmente que, no momento da aparição de uma formação fantasística, o sujeito se cristaliza na parte compacta de uma tensão que não chega a se descarregar. Quando o menino vive o momento culminante de sua crise, consideramos que tudo nele é dor, que ele é só dor e que a dor – polo central da fantasia – absorve e condensa o ser da criança. Recordemos que essa assimilação radical, local e provisória do sujeito com o objeto-dor é o melhor modo de defesa contra a outra assimilação, intolerável, do sujeito com um sofrimento infinito.

Citações das obras de S. Freud e J. Lacan sobre a identificação

Freud

A identificação não é uma imitação

A identificação não é, portanto, simples imitação, mas *apropriação*, por causa de uma etiologia idêntica; exprime um "exatamente como se" e está afeita a uma comunhão que persiste no inconsciente.[1] (1899)

A identificação é, primeiro, um vínculo afetivo (identificação primária), depois um substituto de um vínculo sexual (identificação regressiva) e, por último, uma capacidade de viver "por contágio psíquico" uma situação dramática (identificação histérica)

... primeiramente, a identificação é a forma mais originária do vínculo afetivo com um objeto; em segundo lugar, por via regressiva, torna-se o substituto de um vínculo objetal libidinal, de certo modo por introjeção do objeto no eu; e em terceiro lugar, pode nascer a cada vez que é novamente percebida uma certa comunhão com uma pessoa que não é [diretamente] objeto das pulsões sexuais.[2] (1921)

*A identificação primária é a identificação do eu
com o Pai da horda primeva*

O avô violento certamente era o modelo invejado e temido de cada um dos membros dessa associação fraterna. Pois bem, pelo ato da *absorção* eles realizaram sua identificação com ele, cada qual se apropriando de parte de sua força.³ (1913)

*Na identificação regressiva, o eu se desliga do objeto, volta-se
sobre si mesmo e se identifica com o traço simbólico do objeto
que não existe mais*

Quando alguém perde um objeto ou tem de renunciar a ele, é bastante frequente ressarcir-se identificando-se com ele, erigindo-o de novo em seu eu, de modo que a escolha de objeto regride, por assim dizer, à identificação.⁴ (1933)

Quando perdemos um ser amado, a reação mais natural é nos identificarmos com ele, substituí-lo, se assim podemos dizer, por dentro.⁵ (1938)

*Na identificação narcísica (ex.: melancolia), o eu se identifica
com a imagem de um objeto já perdido e desinvestido
de toda a libido*

Pudemos concluir disso que, se o melancólico retirou sua libido do objeto, esse objeto acha-se transportado para o *eu,* como que projetado nele, em seguida a um processo ao qual podemos dar o nome de *identificação narcísica*.⁶ (1917)

Na melancolia, o investimento do objeto perdido é substituído por uma identificação com a imagem do objeto perdido

[A libido] serve para instaurar uma identificação do eu com o objeto abandonado. A sombra do objeto recai assim sobre o eu, que pode então ser julgado por uma instância particular como um objeto, como o objeto abandonado.[7] (1915)

A identificação com o pai morto é uma identificação fantasística

O sintoma precoce dos "ataques de morte" [epilepsia] pode então ser compreendido como uma identificação com o pai [morto] no nível do eu, identificação esta que é autorizada pelo superego como punição.[8] (1928)

Lacan

Na identificação imaginária, o eu se aliena na imagem do outro

... esses fenômenos, que vão da identificação especular à sugestão mimética e à sedução da boa forma ..., inscrevem-se numa ambivalência primordial que nos aparece em *espelho*, no sentido de que o sujeito se identifica em seu sentimento de Si com a imagem do outro, e de que a imagem do outro vem cativar nele esse sentimento.[9]

Depois da identificação primária e da identificação regressiva do eu com o traço do objeto, a identificação histérica é o terceiro modo de identificação estabelecido por Freud. Ela consiste na identificação fantasística do sujeito com o objeto enquanto emoção, e tem por função satisfazer o desejo.

... esse terceiro modo de identificação que condiciona sua função de suporte do desejo e que especifica, portanto, a indiferença de seu objeto.[10]

A fantasia é uma identificação do sujeito com o objeto: $ ◊ a

É que esses objetos, parciais ou não, mas garantidamente significantes – o seio, o excremento, o falo –, o sujeito os ganha ou os perde, sem dúvida, é destruído por eles ou os preserva, mas sobretudo ele *é* esses objetos, conforme o lugar onde eles funcionam em sua fantasia fundamental, e esse modo de identificação não faz senão mostrar a patologia da vertente por onde o sujeito é empurrado ...[11]

BIBLIOGRAFIA DAS CITAÇÕES

1. *L'Interprétation des Rêves*, PUF, 1967, p.137 [*A interpretação dos sonhos*, ESB vols.V e VI].
2. "Psychologie des Foules et Analyse du Moi", cap.VII ("L'Identification"). in *Essais de Psychanalyse*, Payot, 1981, p.170 [Psicologia das Massas e Análise do Ego, cap. VII. "A Identificação". *ESB* vol.XVIII].
3. *Totem et Tabou*, cap.IV ("Le Retour Infantile du Totémisme") Payot, 1973, p.163 [*Totem e tabu*, cap.IV. "O Retorno do Totemismo na Infância". *ESB* vol.XIII].
4. "La Décomposition de la Personnalité Psychique", in *Nouvelles Conférences d'Introduction à la Psychanalyse*, Gallimard, 1984, p.89 ["Dissecação da Personalidade Psíquica". *Novas conferências introdutórias sobre psicanálise*, conferência XXXI. ESB. vol.XXII].
5. *Abrégé de Psychanalyse*, PUF, 1949, p.65 [*Um esboço de psicanálise*, ESB vol.XXIII].

6. *Introduction à la Psychanalyse*, Payot, 1981, p.404 [*Conferências introdutórias sobre psicanálise. ESB* vol.XVI].
7. "Deuil et Mélancolie", in *Oeuvres Complètes*. vol.XIII, PUF, 1988. p.268 ["Luto e Melancolia", *ESB* vol.XIV].
8. "Dostoïevski et le Parricide", in *Résultats, Idées, Problèmes II*, PUF, 1985, p.170 ["Dostoievski e o Parricídio", *ESB* vol.XXI].
9. "Propos sur la Causalité Psychique", in *Écrits,* Seuil, 1966, p.181. [Ed. bras.: "Formulações sobre a causalidade psíquica", in *Escritos,* Rio de Janeiro, 2008, Zahar, p.182-3].
10. "La Direction de la Cure...", in *Écrits,* p.639. [Ed. bras.: "A direção do tratamento e os princípios de seu poder", in *Escritos,* Rio de Janeiro, Zahar, 2008, p.645-6].
11. Ibid., p.614.

Seleção bibliográfica sobre a identificação

Freud, S.

1897 *La Naissance de la Psychanalyse*, PUF, 1956, p.161, 166.
1899 *L'Interprétation des Rêves*, PUF, 1967, p.137 [*A interpretação dos sonhos*, ESB, vol.IV].
1907 Sigmund Freud e C.G. Jung, *Correspondance* (1906-1914), Gallimard, 1975, vol.I, p.155.
1913 *Totem et Tabou*, cap.IV ("Le Retour Infantile du Totémisme"), Payot, 1973, p.163 [*Totem e tabu*, "O Retorno do Totemismo na Infância", ESB vol.XIII].
1915 "Deuil et Mélancolie", in *Oeuvres Complètes*, vol.XIII, PUF, 1988, p.268 ["Luto e Melancolia", ESB vol.XIV].
1917 *Introduction à la Psychanalyse*, Payot, 1981, p.404 [*Conferências introdutórias sobre psicanálise*, ESB vol.XVI].
1921 "Psychologie des Foules et Analyse du Moi", cap.VII ("L'Identification"), in *Essais de Psychanalyse*, Payot, 1981 ["Psicologia das Massas e Análise do Ego", cap.VII, "Identificação", ESB vol.XVIII].
1928 "Dostoïevski et le Parricide", in *Résultats, Idées, Problèmes II*, P. U.F, 1985, p.170 ["Dostoievski e o Parricídio", ESB vol.XXI].
1933 "La Décomposition de la Personnalité Psychique", in *Nouvelles Conférences d'Introduction à la Psychanalyse*, Gallimard, 1984, p.88-9 ["A Dissecação da Personalidade Psíquica", *Novas conferências introdutórias sobre psicanálise*, ESB vol.XXII, Conferência XXXI].
 "Angoisse et Vie Pulsionnelle", in *Nouvelles Conférences d'Introduction à la Psychanalyse*, op.cit., p.123 ["Angústia e Vida Pulsional", in *Novas conferências...*, Ibid., Conferência XXXII].
1938 *Abrégé de Psychanalyse*, PUF., 1949, p.10, 61-2, 65 [*Um esboço de psicanálise*, ESB vol.XXIII].

Lacan, J.

L'Identification (seminário inédito), aulas de 15 de novembro de 1961, 6 de dezembro de 1961 e 28 de março de 1962.
Problèmes Cruciaux pour la Psychanalyse (seminário inédito), aula de 13 de janeiro de 1965.
Écrits, Seuil, 1966, p.88-91, 94-97, 106-107, 111, 113, 115, 117, 181, 614, 639, 733, 853. [Ed. bras.: *Escritos*, Rio de Janeiro, Zahar, 2008, p.91-5, 97-101, 108-10, 113-4, 115-6, 117-8, 182-3, 620-1, 645-6, 742-3, 867].

ABRAHAM, K., *Oeuvres Complètes*, II, Payot, 1966, p.307-308.
DOLTO, F. e NASIO, J.-D., *L'Enfant du Miroir* (identificação do estádio do espelho), Rivages, 1987, p.42-47. [Ed. bras.: *A criança do espelho*, Rio de Janeiro, Zahar, 2008].
DOR, J., *Introduction à la Lecture de Lacan*, Denoël, 1985, vol.I, p.136ss. (sujeito dividido).
ETCHEGOYEN, R., e colaboradores, *Revue Française de Psychanalyse*, 1984, vol.48, nos 3-4, p.825-73.
GADDINI, E., "On Imitation", *International Journal of the Psychoanalytic Association*, 1969, 50, p.475-84.
KRIS, E., e colaboradores, "Panel on: Problems of Identification", *Journal of the American Psychoanalytic Association*, 1953, I, p.538-49.
MAJOR, R., "La Formation du Fantasme et sa Réalité Symbolique", in *Revue Française de Psychanalyse*, vol.35, 1971, p.399.
MEISSNER, W.W., "Notes on Identification", *Psychoanalytic Quartely*, I, 39, p.563-89; II, 40, p.277-302; III, 41, p.224-60.
NASIO, J.-D., *Les Yeux de Laure. Le Concept d'Objet a dans la Théorie de J. Lacan*, Aubier, 1987, p.100-6, 134-7, 139 (identificação simbólica e fantasística). [Ed. bras.: *Os olhos de Laura: Somos todos loucos em algum recanto de nossas vidas*, Rio de Janeiro, Zahar, 2011].

6. O CONCEITO DE SUPEREU

O conceito de supereu

> *O superego é o inimigo do homem, bem como seu amigo. Não é exagero dizer que a vida psíquica do homem é essencialmente feita de esforços obstinados, seja para escapar à dominação do superego, seja para suportá-la.*
>
> E. Jones

A origem dessa instância soberana da personalidade – explicitamente descrita por Freud no contexto da segunda teoria do aparelho psíquico (aparelho composto pelo ego, id e superego) – remonta ao período do desaparecimento do complexo de Édipo, por volta dos cinco anos de idade. Nessa época, a proibição que os pais impõem ao filho edipiano de realizar seu desejo incestuoso torna-se, dentro do eu, um conjunto de exigências morais e de probições que, dali por diante, o sujeito imporá a si mesmo. É essa autoridade parental internalizada durante o Édipo, e diferenciada no seio do eu como uma de suas partes, que a psicanálise chama de supereu. Freud resumiu numa única frase bastante conhecida a própria essência do supereu: "O superego é o herdeiro do complexo de Édipo."

A gênese do supereu primordial e suas três funções inconscientes: proibir, exortar, proteger

Mas o que é que o Édipo transmite a esse filho psíquico que é o supereu? Do que é ele o vestígio? O supereu é o vestígio psíquico e duradouro da solução do principal conflito da cena edipiana. Esse conflito, cujo resultado será a resolução final do drama, consiste numa oposição dividida entre a lei que interdita e a suposta consumação do incesto. Entendamo-nos: o conflito não se situa entre a lei interditora e o desejo incestuoso da criança, mas entre essa lei e a satisfação impensável, ou seja, o gozo que significaria a consumação desse desejo. Em outras palavras, a lei não proíbe o desejo, não pode impedir a criança de desejar, mas proíbe exclusivamente a satisfação plena do desejo; numa palavra, *a lei proíbe o gozo*. Assim, o conflito do qual provém o supereu não se situa entre a lei e o desejo, mas entre a lei e o gozo absoluto do incesto.

Mas como se resolve então esse conflito, ou antes, como se forma o supereu? Por medo de ser castrada, a criança se submete, resignada, à proibição parental, e aceita renunciar – com medo e ódio – a concretizar seu desejo, mas o desejo nem por isso é suprimido. Pois bem, o que quer dizer exatamente a submissão da criança à proibição, senão que ela assimila a lei e a torna psiquicamente sua? Em outros termos, uma parte do eu se identifica com a figura parental interditora, enquanto a outra parte continua a desejar; a criança torna-se então capaz, mesmo tendo que se desdobrar, de encarnar ela própria, simultaneamente, seja a lei, seja o desejo. A parte do eu que faz de maneira duradoura as vezes de lei interditora constitui aquilo a que chamamos supereu. Por isso o supereu constitui, na vida psíquica do adulto, não apenas a marca permanente da lei da proibição do incesto, mas também a garantia da repetição, no curso da existência, dos três gestos fundamentais que marcaram, para a criança, a saída do Édipo. Esses três gestos são: *renunciar* ao gozo proibido, *preservar* o desejo em relação a esse mesmo gozo considerado inacessível, e *salvar* o pênis da ameaça de castração. Mais do que "salvar o pênis", deveríamos ampliar isso e escrever: salvar a integridade física e psíquica do perigo de estilhaçamento que sobreviria se o eu da criança acedesse ao gozo trágico do incesto. Esclareçamos aqui que "proibido", "inacessível" e "perigoso" são atributos que qualificam o mesmo gozo, conforme diferentes ângulos de visão: ele é *proibido* do ponto de vista da lei, *inacessível* do ponto de vista do desejo, e *perigoso* para a consistência do eu. Esclareçamos ainda que, contrariamente à afirmação de alguns autores, a proibição do supereu em nada abala o desejo. Melhor ainda, ela atesta a vitalidade do desejo, já que este, não se havendo realizado, prossegue incansavelmente em sua busca da satisfação incestuosa, ainda que ela seja proibida. O fato de o supereu existir é seguramente um sinal do vigor do desejo. Não, o supereu não representa o desaparecimento do desejo, mas a renúncia a experimentar o gozo que a criança conheceria se o incesto tivesse lugar.

Como vemos, a instância do supereu não se reduz a uma pura e estrita representação psíquica da lei, mas é, antes de tudo, o vestígio, constantemente renovado no eu, dos três gestos que pontuaram o declínio do complexo de Édipo. Por isso o supereu representa a renúncia ao gozo proibido, a exaltação do desejo de um gozo impossível e a defesa da integridade do eu, não apenas contra a ameaça de castração, mas também contra o perigo do temível gozo do incesto. Se o supereu pudesse condensar numa única fórmula imperativa esses três princípios, ordenaria ao eu: "Deseja o absoluto a que terás de renunciar, porque ele te é proibido e perigoso!" Essas funções do supereu, de proibir o gozo, exaltar o desejo e proteger a integridade eu-oica – funções indissociáveis e mutuamente antagônicas – mostram como a instância supereu-oica regula os movimentos do eu a respeito do gozo. Movimento de despeito (ódio) diante do gozo proibido, movimento de atração (amor) pelo gozo impossível[1] e movimento de repulsa (medo) frente ao gozo assustador. Assinalemos ainda que a instância supereu-oica é justamente carregada desses mesmos afetos de ódio, amor e medo sentidos pela criança quando da resolução final do complexo de Édipo. O ódio originário se converterá, mais tarde, na severidade sádica do supereu, e a angústia, no sentimento de culpa do eu.

As duas categorias do supereu primordial:
o supereu-consciência e o supereu-inconsciente tirânico

Acabamos de descrever a gênese do supereu primordial e de estabelecer as três funções que ele exerce em surdina junto ao eu, ou seja, de maneira inconsciente. A partir dessa estrutura de base, podemos conceber duas categorias radicalmente opostas e, no entanto, coexistentes do supereu. Primeiro, reconhecemos um supereu assemelhado à consciência em suas variações de consciência moral, consciência crítica e consciência produtora de valores ideais. Esse supereu-consciência corresponde à definição clássica que designa a instância supereu-oica como a parte de nossa personalidade que rege nossas condutas, julga-nos e se oferece como modelo ideal. Sob o olhar de um observador escrupuloso, o eu responderia, assim, às exigências conscientes de uma moral a ser seguida e de um ideal a ser esperado. A atividade consciente, geralmente encarada como uma derivação racional do supereu primordial, explica-se pela incorporação no cerne do eu, não apenas da lei da proibição do incesto, mas da influência crítica dos pais e, progressivamente, da influência da sociedade em seu conjunto. Considerado a partir de seus três papéis, de consciência crítica, juiz e modelo, esse supereu representaria a parte subjetiva dos fundamentos da moral, da arte, da religião e de qualquer aspiração ao bem-estar social e individual do homem.

Todavia, o supereu-consciência, em seu caráter espiritual, ideal e autocrítico, não passa da face do supereu que é talvez mais conhecida, mas também a mais superficial e a menos importante para o psicanalista. Se o supereu não passasse de um sinônimo de consciência moral, ideal e crítica, hesitaríamos em conferir-lhe um lugar particular no *corpus* da teoria psicanalítica. Ora, o conceito de supereu é absolutamente crucial para dar conta da existência, em nós, de um outro supereu, não apenas diferente, mas exatamente oposto aos princípios racionais da moral fundamentada na busca do bem. Enquanto a atividade supereu-oica consciente participa da promoção do bem-estar, um outro supereu, cruel e feroz, é a causa da grande aflição humana e das ações infernais absurdas do homem (suicídio, assassinato, destruição e guerra). O "bem" que esse supereu selvagem nos ordena encontrar não é o bem moral (ou seja, aquilo que é bom do ponto de vista da sociedade), mas o próprio gozo absoluto; ele nos ordena infringir qualquer limite e esperar o impossível de um gozo incessantemente subtraído. O supereu tirânico ordena e nós obedecemos sem o saber, ainda que isso amiúde comporte a perda e a destruição daquilo que nos é mais caro.

Os excessos do supereu tirânico: ele condena (proibição desmedida), ordena (exortação desmedida) e inibe (proteção desmedida)

Embora o supereu seja classicamente assemelhado ao supereu-consciência, garantia da lei moral da proibição do incesto, descobrimos aqui um outro supereu, instigador inconsciente e perverso que subjuga o eu pelo feitiço de um ideal de gozo. O que o supereu selvagem representa aos olhos do eu – segundo Freud – não é o sentido da realidade externa, mas o apelo irresistível do id que incita o eu a violar a proibição e a dissolver-se num êxtase que ultrapassa qualquer prazer. É justamente esse o sentido da fórmula proposta por Lacan: "O supereu é o imperativo do gozo – Goza!". Encurralado pela pressão supereu-oica, o eu chega às vezes a praticar ações de rara violência contra ele mesmo ou contra o mundo. O ato homicida, por exemplo, é frequentemente ditado pelo imperativo cego de um supereu inexorável. É falso acreditar na fraqueza do supereu do criminoso; ao contrário, o homicida mais odioso é sempre a resposta irreprimível a um bramido supereuoico que ordena levar o desejo a seu extremo. Um extremo que, no entanto, nunca é atingido, pois nenhum desejo, nem mesmo assassino, jamais atingirá o gozo pleno. Um crime, um suicídio ou qualquer outro ato violento e mortífero não representam mais do que saciações parciais no caminho que vai do sujeito à miragem da satisfação absoluta. Compreendemos, portanto, que no supereu reina apenas, como escreveu Freud, uma pura cultura da pulsão de morte.

Não, o supereu não é unicamente o representante psíquico de uma lei moral que visa a nosso próprio bem e ao dos outros (supereu-consciência); não é somente o representante de uma lei simbólica inconsciente (supereu-primordial); é, antes de mais nada, um semblante de lei, uma lei inconsciente e insensata cuja intimação, mais premente do que qualquer comando da consciência, nos ordena a impelir nosso desejo até seu ponto último.

Mas o supereu feroz não se caracteriza unicamente pelo caráter desmedido de sua exortação; ele é também desmedido em seu papel de proibidor do gozo e de guardião da integridade do eu. As três funções supereu-oicas primordiais de exortação, proibição e proteção só são assumidas por esse supereu tirânico de maneira violenta e mórbida. A exortação excessivamente premente conduz, como acabamos de ver, a realizações brutais de desejos homicidas ou suicidas. A proibição rigorosa demais leva a manifestações absurdas de autopunição, como as que são próprias de estados patológicos como a melancolia, alguns delírios de autoacusação, ou ainda a entidade clínica designada por Lacan como "paranoia de autopunição". Observemos, nesse sentido, que a condenação exercida pelo supereu irracional é tão excessiva que ele goza com um prazer sádico com a severidade de suas sanções. Deparamos assim com o paradoxo singular de ver o supereu, de um lado, refrear o gozo e, de outro, gozar ele próprio por exercer a interdição.

E, por último, a terceira função abusiva do supereu reside numa proteção tão ciumenta em relação ao eu que leva a comportamentos caracterizados pela inibição. O supereu pode facilmente, por exemplo, proibir a um homem a relação sexual com sua mulher, representando-a para ele como um perigo abominável.

A gênese do supereu tirânico: o supereu tirânico é o herdeiro de um trauma primitivo

Esse supereu tão desenfreado em suas intimações, tão cruel em suas proibições, tão sádico em sua dureza e tão ciumentamente vigilante emerge também, por sua vez – à semelhança do supereu primordial –, de uma crise em que a criança é confrontada com uma proibição. Pois bem, aqui não se trata necessariamente da crise edipiana, mas de qualquer trauma primitivo, seja ele qual for, sofrido pela criança, independentemente de sua idade, quando suas fantasias fazem-na ouvir a voz de um adulto como uma injunção brutal e dilacerante.[2] Aturdida, a criança sente o peso da autoridade e da intimidação parentais sem compreender a que se refere realmente a proibição proferida pela voz fantasística dos pais. O sentido da proibição, sentido este que pode ser veiculado através de qualquer fala simbólica e estruturante, é anulado pelo som penetrante da vociferação parental. O som fantasiado expulsa o sentido simbólico e se converte, no cerne do eu, no domicílio sonoro, isolado e errante que constitui a sede mórbida do supereu tirânico. O estofo desse supereu reduz-se, por fim, a um fragmento de voz à deriva, a um objeto errático denominado, na teoria lacaniana, de "objeto *a*". Para dar conta dessa rejeição do simbólico e de suas consequências imaginárias no eu, Lacan recorre ao conceito de foraclusão e explica que a rejeição dos preceitos da fala repercute sob a forma de uma hiância aberta no imaginário. Se pensarmos na origem e na natureza do supereu tirânico segundo nossa tese sobre as formações do objeto *a*, reconheceremos nesse supereu um caso exemplar de formação do objeto *a* produzida por foraclusão.[3]

Podemos, pois, reconhecer uma gênese específica do supereu tirânico, distinta da do supereu primordial formado por ocasião do Édipo.[4] Enquanto o supereu primordial se ergue com base na incorporação da imagem da autoridade parental e segundo a inscrição, no eu, da lei da proibição do incesto, o supereu tirânico nasce intempestivamente do esgarçamento traumático sofrido pelo eu quando da rejeição de uma fala simbólica. À incorporação imaginária e à inscrição simbólica, fatores originários do supereu primordial, opõem-se assim o esgarçamento traumático e a rejeição foraclusiva, fatores originários do supereu tirânico. Parafraseando a célebre afirmação freudiana de que "o superego [primordial] é o herdeiro do complexo de Édipo", proponho a seguinte formulação: *o supereu tirânico é o herdeiro de um trauma primitivo*.

Agora compreendemos melhor por que o supereu cruel e feroz encarna não a lei da proibição primordial, mas um simulacro de lei, uma lei furada, quase destruída, uma vociferação arquejante e insensata da lei. O único atributo que confere ao supereu uma aparência de lei é o modo imperativo que ele adota para se fazer ouvir pelo eu. Afora esse modo, a instância do supereu tirânico não é outra coisa senão um trauma personificado pelo eu sob a forma de um grito assustador que condena (proibição desmedida), ordena (exortação desmedida) e sufoca (proteção desmedida).

A culpa é uma doença imaginária do eu que reclama o remédio imaginário da autopunição infligida pelo supereu

Que vem a ser a culpa? Por que o supereu é sempre associado à noção de culpa? Segundo os ensinamentos de nossa prática das análises, a culpa, no sentido psicanalítico do termo, é fundamentalmente um sentimento inconsciente. Se o conceito de culpa foi introduzido na teoria freudiana, foi justamente para revelar que a única culpa decisiva na vida psíquica é o sentimento de ser culpado sem que, paradoxalmente, haja qualquer representação consciente disso. "O sentimento de culpa", escreveu Freud, "é mudo para o doente, não lhe diz que ele é culpado: o paciente não se sente culpado, mas enfermo."[5] Com efeito, para a psicanálise, podemos ser culpados e, apesar disso, ignorar que o somos, uma vez que, conscientemente, nada nos acusa e nenhum delito nos parece ter sido cometido. Embora na consciência sejamos inocentes, no inconsciente somos culpados.

Pois bem, essa culpa, da qual a consciência não carrega nenhum vestígio, traduz-se indiretamente por afecções psicopatológicas (neurose obsessiva, melancolia, luto não consumado, delírio de autoacusação etc.) e através de diversas formações psíquicas tais como as fantasias, as situações dolorosas ou, ainda, comportamentos de fracasso no correr da análise. Dentre estes últimos, cabe recordarmos o caso exemplar da *reação terapêutica negativa*. Após um trabalho analítico seguido de uma melhora do estado do paciente, o psicanalista constata, contrariamente a todas as expectativas, o retorno dos sintomas e o agravamento dos sofrimentos que acreditava terem desaparecido. É como se existisse, no analisando, uma força ignorada que o impede de progredir e lhe impõe uma dor ainda maior, que tem valor de penitência. A culpa na origem dessa reação inesperada não aparece em absoluto para o paciente; ele acredita, simplesmente, numa complicação inexplicável de seu estado; reconhece-se enfermo, mas não se considera culpado.

Sentimento inconsciente de culpa, necessidade de punição e necessidade de nomeação

O trabalho com nossos pacientes confirma plenamente essa tese freudiana, segundo a qual o sofrimento dos sintomas expia uma falta ignorada. O eu cai ou recai doente, a fim de aplacar a opressão de ser inconscientemente culpado. Encontramo-nos aqui diante de uma estranha equação: a dor sentida (autopunição sob a forma de novos sintomas) é o alívio de uma dor não sentida (culpa). Ou, para apreender melhor o mecanismo íntimo desse fato clínico, devemos compreender que o sentimento doloroso de culpa consiste – do ponto de vista econômico – numa tensão tão intolerável que ela acarreta, para se liberar, a ação apaziguadora de uma autopunição mórbida. Assim, podemos dizer que é próprio da culpa inconsciente despertar automaticamente a necessidade irreprimível de ser punido.

Mas a ação punitiva não é somente a satisfação de uma descarga de energia que desfaz a tensão; ela é ainda, do ponto de vista simbólico, uma satisfação de outra natureza. A ação punitiva também alivia porque permite localizar uma falta desconhecida, que até então não tinha representação. Para ser tolerada, a culpa requer não apenas uma ação que expie o erro, mas também um nome que o represente; a necessidade de punição reduplica-se numa necessidade imperiosa de nomeação. Por vezes, essa dupla necessidade de punir e de nomear é tão premente que consegue impelir um homem a cometer uma falta real que induza uma punição igualmente real, e que enfim nomeie a falta inconsciente. "Podemos mostrar", escreveu Freud, "que existe em inúmeros criminosos, em particular nos jovens, um poderoso sentimento de culpa que existia antes do ato e que, portanto, não é consequência dele, mas seu motivo, como se sentisse alívio em poder ligar esse sentimento inconsciente de culpa a alguma coisa de real e de atual."[6] A relação *culpa* (causa) – *autopunição* (efeito) é tão estreita que identificamos uma com a outra e tomamos por equivalentes três expressões: "sentimento inconsciente de culpa", "necessidade de punição" e a que acabamos de propor, "necessidade de nomeação".

O supereu torna o eu culpado de um erro imaginário e o pune

Parece-me chegado o momento de estabelecer o papel que cabe ao supereu no processo de culpa que assim esquematizaremos:

falta desconhecida cometida pelo eu → sentimento inconsciente de culpa experimentado pelo eu → ação punitiva infligida pelo supereu

Entretanto, antes de destacar a presença supereu-oica na culpa, devemos primeiramente lembrar que, não sendo o supereu senão uma parte diferenciada do eu, qualquer referência à ação supereu-oica deve ser compreendida, na verdade, como um movimento do eu em relação a si mesmo. Sendo assim, destacaremos duas incidências do supereu. A primeira situa-se no nível da punição, em que a consideramos idêntica à necessidade de se impor um sofrimento. A "necessidade de punição" não passa, afinal, de uma maneira particular de designar a força que o eu tem de empregar para conseguir voltar-se contra si mesmo. Para descrever esse movimento, poderíamos ter utilizado o termo "supereu" e afirmar: o supereu arma o braço autodestruidor do eu ou, ainda, simplesmente, o supereu pune o eu. Examinemos agora a segunda incidência supereu-oica, que se situa, dessa vez, no nível da falta originadora do sentimento inconsciente de culpa.

Ora, qual é a falta desconhecida que torna o eu culpado? Para responder a isso, é preciso considerarmos a culpa como uma forma elaborada da angústia de castração. O medo da criança por ocasião do Édipo, diante da proibição da autoridade externa, transforma-se mais tarde em culpa diante da autoridade interna (supereu). Pois bem, essas reações imaginárias de medo e culpa são despertadas não apenas pela ameaça da proibição de realizar o gozo incestuoso, mas também pelo ardor simultâneo que o eu experimenta de seu próprio desejo. O eu só se angustia e se culpa diante da proibição quando percebe, no mesmo momento, a agitação interna de seu desejo. Muito bem, é aí que o eu se equivoca e que nele se instala esse parasita do neurótico que é a falta. Mas, de que equívoco se trata? O eu se engana e se considera culpado quando, ao perceber o ímpeto de seu desejo, acredita perceber a conclusão do desejo; ele sente o desejo, mas acredita estar experimentando o gozo.

Ora, não é tanto por desejar que o eu se torna culpado, mas por ser incapaz de responder a duas exigências opostas e simultâneas do supereu tirânico. De um lado, ele tem que se submeter à demanda premente de uma voz que o exorta a gozar, e, de outro, tem que obedecer a uma segunda voz que, ao contrário, proíbe-o de gozar. Diante do supereu que exorta, o eu é culpado de não realizar seu desejo: é uma falta por insuficiência; e, diante do supereu que proíbe e condena, ele é culpado de estar a ponto de realizar esse desejo: é uma falta por excesso. Duplamente culpado aos olhos do supereu, por não consumar seu desejo e, inversamente, por chegar perto demais de consumá-lo, o eu, paralisado, fica encerrado no torno do confronto das duas demandas antagônicas do supereu.

Mas nenhuma dessas duas faltas foi efetivamente cometida, pois, convém nos recordarmos, o desejo permanece impossível de se consumar. Não posso ser culpado de um ato que me é impossível cometer. Se o supereu não existisse, o eu, em si mesmo, nunca seria culpado. Ora, o supereu existe, o que equivale a dizer que o eu se *acredita* culpado. Sim, a culpa é uma crença imaginária do eu, o falso pressentimento de experimentar o gozo absoluto, muito embora ele só possa experimentar um gozo parcial.

Citações das obras de S. Freud e J. Lacan sobre o supereu

Freud

O supereu é uma das duas partes de um eu dividido

Vemos [no melancólico] como uma parte do ego opõe-se à outra, faz sobre ela uma apreciação crítica, toma-a, por assim dizer, como objeto.[1] (1915)

O supereu é uma diferenciação no eu que resulta da incorporação – por identificação – da autoridade parental

A instituição do superego pode ser descrita como um caso bem-sucedido de identificação com a instância parental.[2] (1933)

O supereu é o vestígio psíquico e duradouro, no eu, da resolução do conflito edipiano

O superego é o herdeiro do complexo de Édipo e só se instaura depois da liquidação deste.[3] (1938)

O supereu é inconsciente

Aprendemos em nossas análises que há pessoas em quem a autocrítica e a consciência moral [supereu] são inconscientes e produzem, na qualidade de inconscientes, os mais importantes efeitos.[4] (1923)

O supereu não proíbe o desejo, mas a satisfação do desejo; ele refreia o gozo

Quanto ao superego, embora ele represente outras necessidades ainda, sua tarefa essencial consiste sempre em refrear as satisfações.[5] (1938)

Uma das duas categorias do supereu: o supereu-consciência

Chamamos essa instância de *superego* e a sentimos, em seu papel de justiceira, como nossa *consciência*.[6] (1938)

O superego é uma instância descoberta por nós, e a consciência é uma função que lhe atribuímos dentre outras, e que consiste em vigiar e julgar os atos e intenções do ego e em exercer uma atividade de censura.[7] (1930)

As três funções do supereu-consciência

Voltemos ao superego. Já lhe atribuímos a auto-observação, a consciência moral e a função de ideal.[8] (1933)

A outra categoria do supereu: o supereu tirânico. Esse supereu representa, aos olhos do eu, não a realidade externa, mas o mundo infernal do gozo, ou seja, o mundo do id

Enquanto o ego é essencialmente representante do mundo externo, da realidade, o superego coloca-se diante dele como mandatário do mundo interno, do id.[9] (1923)

O suprimento de energia de investimento aos conteúdos do superego provém das fontes que se encontram no id.[10] (1923)

O supereu tirânico é tão amoral e cruel quanto o id

O id é totalmente amoral, o ego se esforça por ser amoral, e o superego pode tornar-se hipermoral e, nesse caso, tão cruel quanto somente o id consegue ser.[11] (1923)

*O supereu tirânico é um instigador perverso
que impele o eu a gozar até a morte*

O que reina agora no superego é, por assim dizer, uma cultura pura da pulsão de morte, e de fato o superego tem êxito, com bastante frequência, em levar o ego à morte.[12] (1923)

LACAN

*Assim como, para Freud, o supereu representa o id,
para Lacan o supereu representa o gozo e manda gozar*

O supereu é o imperativo do gozo – *Goza!*[13]

O supereu tirânico é o herdeiro de um trauma primitivo

… o supereu acaba por se identificar àquilo que há somente de mais devastador, de mais fascinante, nas experiências primitivas do sujeito. Acaba por se identificar ao que chamo *figura feroz,* às figuras que podemos ligar aos traumatismos primitivos, sejam eles quais forem, que a criança sofreu.[14]

O supereu tirânico nasce de um esgarçamento no imaginário (trauma) por ocasião da rejeição de uma fala simbólica (foraclusão)

… essa figura obscena e feroz que a análise chama de Supereu, e que é preciso compreender como a hiância aberta no imaginário por toda rejeição … [*foraclusão*] dos preceitos da fala.[15]

O supereu tirânico encarna não uma lei da proibição, mas um simulacro de lei, uma lei furada, quase destruída, uma vociferação arquejante e insensata da lei.

Um enunciado discordante, ignorado na lei, um enunciado promovido ao primeiro plano por um acontecimento traumático, que reduz a lei numa extremidade ao caráter inadmissível, inintegrável – eis o que é essa instância cega, repetitiva, que definimos habitualmente no termo supereu.[16]

O supereu é, ao mesmo tempo, a lei e sua destruição [17]

O supereu tem uma relação com a lei e, ao mesmo tempo, é uma lei insensata, que chega ao ponto de ser o desconhecimento da lei.[18]

BIBLIOGRAFIA DAS CITAÇÕES

1. "Deuil et Mélancolie", in *Oeuvres Complètes,* vol.XIII, PUF, 1988, p.266 ["Luto e Melancolia", *ESB* vol.XIV].
2. "La Décomposition de la Personnalité Psychique", in *Nouvelles Conférences d'Introduction à la Psychanalyse,* Gallimard, 1984, p.89 ["A Dissecação da Personalidade Psíquica", *Novas conferências introdutórias sobre psicanálise, ESB* vol.XXII, Conferência XXXI].
3. *Abrégé de Psychanalyse,* PUF, 1949, p.83 [*Um esboço de psicanálise, ESB* vol.XXIII].
4. "Le Moi et le Ça", in *Essais de psychanalyse,* Payot, 1981, p.239.
5. *Abrégé de psychanalyse,* op.cit., p.7.
6. Ibid., p.82-83.
7. *Malaise dans la Civilisation,* PUF, 1971, p.95-6 [*O mal-estar na cultura, ESB* vol.XXI].
8. "La Décomposition de la Personnalité Psychique", loc.cit., p.93.
9. "Le Moi et le Ça", loc.cit., p.249 [*O ego e o id, ESB* vol.XIX].
10. Ibid., p.268.
11. Ibid., p.269.
12. Ibid., p.268.
13. *O Seminário,* livro 20, *Mais, ainda,* Rio de Janeiro, Zahar, 2ª ed., 1985, p.11.
14. *O Seminário,* livro 1, *Os éscritos técnicos de Freud,* Rio de Janeiro, Zahar, 2ª ed., 2009, p.123.
15. *Écrits,* Seuil, 1966, p.360. [Ed. bras.: *Escritos,* Rio de Janeiro, Zahar, 1998, p.362-3].
16. *O Seminário,* livro 1, op.cit., p.229.
17. Ibid., p.123.
18. Ibid.

Seleção bibliográfica sobre o supereu

Freud, S.

1913 *Totem et Tabou*, Payot, 1973, p.82-3, 163-8, 180-1 ["Totem e tabu, *ESB* vol.XIII].

1914 "Pour Introduire le Narcissisme", in *La Vie Sexuelle*, PUF, 1969, p. 82-4, 92, 94, 96-105 ["Sobre o Narcisismo: Introdução", *ESB* vol.XIV].

1916 "Quelques Types de Caractère Dégagés par le Travail Psychanalytique", in *L'Inquiétante Étrangeté*, Gallimard, 1985, p.139-71 ["Alguns Tipos de Caráter Encontrados no Trabalho Psicanalítico", *ESB* vol.XIV].

1917 "Deuil et Mélancolie", in *Oeuvres Complètes*, vol.XIII, PUF., 1988, p.259-78 ["Luto e Melancolia", *ESB* vol.XIV].

1921 "Psychologie des Foules et Analyse du Moi", in *Essais de Psychanalyse*, Payot, 1981, p.173, 198-204 ["Psicologia das Massas e Análise do Ego", in *ESB* vol.XVIII].

1923 "Le Moi et le Ça", in *Essais de Psychanalyse*, op.cit., p.239-40, 243, 246-52, 262-74 [*O ego e o id, ESB* vol.XIX].

1923 "La Disparition du Complexe d'Oedipe", in *La Vie Sexuelle*, op.cit., p.120-122 ["A Dissolução do Complexo de Édipo", *ESB* vol.XIX].

1924 "Le Problème Économique du Masochisme", in *Névrose, Psychose et Perversion*, PUF, 1973, p.294-7 ["O Problema Econômico do Masoquismo", *ESB* vol.XIX].

1925 "Quelques Conséquences Psychiques de la Différence Anatomique entre les Sexes", in *La Vie Sexuelle*, op.cit., p.131 ["Algumas Consequências Psíquicas da Diferença Anatômica entre os Sexos", *ESB* vol.XIX].

1928 "Doistoïevski et le Parricide", in *Résultats, Idées, Problèmes II*, PUF, 1985, p.168-72 ["Dostoïevski e o Parricídio", *ESB* vol.XXI].

1929 *Malaise dans la Civilisation*, PUF, 1971, p.80-91, 94-8, 102-5 [*O mal-estar na cultura, ESB.,* vol.XXI].

1933 "La Décomposition de la Personnalité Psychique", in *Nouvelles Conférences d'Introduction à la Psychanalyse*, Gallimard, 1984, p.82-91, 93-7, 100-4, 107-10 ["A Dissecação da Personalidade Psíquica", in *Novas conferências introdutórias sobre psicanálise, ESB* vol.XXII, Conferência XXXI].

1933 "La Féminité", in *Nouvelles Conférences d'Introduction à la Psychanalyse*, op.cit., p.173 ["A Feminilidade", in *Novas conferências introdutórias sobre psicanálise*, ibid., Conferência XXXIII].
1938 *Abrégé de Psychanalyse*, PUF, 1949, p.7, 48-9, 82-4 [*Um esboço de psicanálise*, ESB vol.XXIII].
1939 *L'Homme Moïse et la Religion Monothéiste*, Gallimard, 1985, p.216-8 [*Moisés e o monoteísmo*, ESB vol.XXIII].

Lacan, J.

"Some Reflections on the Ego" (Conferência proferida na British Psychoanalytic Society em 2 de maio de 1951), *The Psychoanalytic Quarterly*, vol.23, 1954.
De la Psychose Paranoïaque dans ses Repports avec la Personnalité, Seuil, 1975, p.323 [*Da psicose paranoica em suas relações com a personalidade*, Rio de Janeiro, Forense Universitária, 1987].
O Seminário, livro I, *Os escritos técnicos de Freud*, Rio de Janeiro, Zahar, 2ª ed., 2009.
O Seminário, livro 2, *O eu na teoria de Freud e na técnica da psicanálise*, Rio de Janeiro, Zahar, 2ª ed., 2010, p.166-9.
O Seminário, livro 3, *As psicoses*, Rio de Janeiro, Zahar, 2ª ed. , 2008, p.311-2.
La Relation d'Objet et les Structures Freudiennes, aulas de 12 de dezembro de 1956, de 6 de março e 3 de julho de 1957. [Ed. bras.: *O Seminário*, livro 4, *A relação de objeto*, Rio de Janeiro, Zahar, 1995].
Les Formations de l'Inconscient, aulas de 19 de março e 2 de julho de 1958. [Ed. bras.: *O Seminário*, livro 5, *As formações do inconsciente*, Rio de Janeiro, Zahar, 1999].
Le Désir et son Interprétation (seminário inédito), aulas de 10 de dezembro de 1958 e 18 de abril de 1959.
O Seminário, livro 7, *A ética da psicanálise*, Rio de Janeiro, Zahar, 2ª ed., 2008, p.14-7, 215-40, 367-72.
L' Angoisse (seminário inédito), aula de 19 de dezembro de 1962.
O Seminário, livro 11, *Os quatro conceitos fundamentais da psicanálise*, Rio de Janeiro, Zahar, 2ª ed., 2008, p.178, 185-6.
Écrits, Seuil, 1966, p.115-6, 127-37, 360, 433-4, 619, 683-4, 765-90, 821, 827. [Ed. bras.: *Escritos*, Rio de Janeiro, Zahar, 2008, p.117-9, 129-39].
D'Un Discours qui ne Serait pas du Semblant, aulas de 10 de março e 16 de junho de 1971. [Ed. bras.: *O Seminário*, livro 18, *De um discurso que não fosse semblante*, Rio de Janeiro, Zahar, 2009].
O Seminário, livro 20, *Mais, ainda*, Rio, Zahar, 2ª ed., 1985, p.10-1.

BERGE, A., "Le Surmoi, son Origine, sa Nature et sa Relation à la Conscience Morale", in *Revue Française de Psychanalyse,* vol.31, 1967, p.1079.

DIDIER-WEILL, A., "Recherche sur le Surmoi", in *Lettres de l'École,* nº 25, vol.I, abril de 1979, p.286. [O Mais Além do Princípio do Prazer e a Transmissibilidade da Psicanálise (Pesquisa sobre o Supereu e o Recalque Imaginário), in *Inconsciente freudiano e transmissão da psicanálise,* Rio de Janeiro, Zahar, 1988].

FLORENCE, J., "La Fonction du Surmoi dans la Cure Analytique", in Feuillets Psychiatriques de Laye, vol.13-1, 1980, pp.49-62.

HARTMANN, H., e LOWENSTEIN, R., "Notes sur le Surmoi", in *Revue Française de Psychanalyse,* vol.28, nºˢ 5-6, 1964.

HESNARD, A., "L'Évolution de la Notion de Surmoi dans la Théorie de la Psychanalyse", in *Revue Française de Psychanalyse,* vol.15, 1951, p.185.

JONES, E., "La Conception du Surmoi", in *Revue Française de Psychanalyse,* vol.I, nº I, 1927, p.324.

_____, "L'Origine du Surmoi", in *Théorie et Pratique de la Psychanalyse,* Payot, 1969, p.132-8.

KLEIN, M., "Les Stades Précoces du Développement Oedipien" (1928), in *Essais de Psychanalyse,* Payot, 1978, p.229-41 ["Primeiras Fases do Complexo de Édipo", in *Contribuições à psicanálise,* São Paulo, Ed. Mestre Jou, 1970].

_____, "Le Développement Précoce de la Conscience chez l'Enfant" (1933), in *Essais de Psychanalyse,* op.cit., p.296-306 ["O Desenvolvimento Inicial da Consciência na Criança", in *Contribuições à psicanálise,* op.cit.].

LAFORGUE, R., "A Propos du Surmoi", in *Revue Française de Psychanalyse,* vol.I, nº I, 1927, p.76.

LAGACHE, O., "La Structure du Surmoi ", in *Bulletin de Psychologie,* vol.XI, nº 152, 1958, p.905.

LAPLANCHE, J., e PONTALIS, J.-B., verbete "Surmoi" in *Vocabulaire de la Psychanalyse.,* PUF, 1967, p.471-3 [verbete "Superego", *Vocabulário da psicanálise,* Moraes Eds., Lisboa, 1971].

MULLER-BRUNSCHWEIG, G., "The Genesis of the Feminine Super Ego", in *Analyses,* VII, 3 4, 1926, p.359.

ROSENFELD, H., "Surmoi/Idéal du Moi", in *Revue Française de Psychanalyse,* vol.27, nºˢ 4-5, 1963, p.543.

ROSOLATO, G., *La Relation d'Inconnu,* Gallimard, 1978, p.94-102 (culpa).

_____, *Le Sacrifice,* PUF, 1987, p.32-7, 60-7 (culpa).

SAUSSURE, R. de, "Notes sur la Pluralité du Surmoi", in *Revue Française de Psychanalyse,* vol.4, 1930-1931, p.163.

TURIELL, F., "An Historical Analysis of the Freudian Conception of the Super Ego", in *The Psycho-Analysis Review,* vol.54, nº 1, 1967, p.118.

7. O CONCEITO DE FORACLUSÃO

O conceito de foraclusão

Antes de ler este texto, recomendamos ao leitor retomar o primeiro capítulo, sobre o conceito de castração.

O conceito de foraclusão é uma construção teórica que tenta explicar o mecanismo psíquico na origem da psicose. Além disso, alguns distúrbios episódicos – tais como uma alucinação, um delírio agudo, uma atuação, ou mesmo as doenças psicossomáticas – poderiam também ser esclarecidos a partir da hipótese da foraclusão. Essas manifestações clínicas – quer sejam duradouras ou transitórias – seriam todas ocasionadas por uma desordem na simbolização da experiência da castração. Veremos que a foraclusão é, com efeito, o nome que a psicanálise dá à falta de inscrição, no inconsciente, da experiência normativa da castração, experiência crucial que, na medida em que é simbolizada, permite à criança assumir seu próprio sexo e, desse modo, tornar-se capaz de reconhecer seus limites. À parte as manifestações clínicas e sintomáticas próprias da psicose, essa falta de simbolização da castração se traduz, particularmente, por uma incerteza do paciente psicótico com respeito a sua identidade sexual e por uma perda do sentido da realidade.

Do ponto de vista terminológico, o termo foraclusão – oriundo do vocabulário jurídico – foi proposto por J. Lacan para traduzir o vocábulo alemão *Verwerfung*, habitualmente transcrito nas versões francesas da obra de Freud pela palavra *rejet* [rejeição, repúdio]. Convém esclarecer que Lacan havia inicialmente empregado o termo *retranchement* [supressão, corte] como equivalente francês de *Verwerfung*.

Apresentaremos inicialmente o conceito de foraclusão segundo Freud em sua pesquisa sobre a psicose, e em seguida, num segundo tempo, exporemos a concepção lacaniana dessa noção.

Para desenvolver nosso estudo, vamos apoiar-nos no ensino de J. Lacan e retomaremos alguns aspectos de um de nossos trabalhos recentes: "La Forclusion Locale: Contribution à la Théorie Lacanienne de la Forclusion"[1] ["A Foraclusão Local: Contribuição à Teoria Lacaniana da Foraclusão"].

O CONCEITO DE FORACLUSÃO EM FREUD

A psicose é uma defesa inadequada e mórbida contra o perigo da lembrança da castração

Desde seus primeiros textos Freud se dedicou a destacar um mecanismo de defesa próprio da psicose. Assim, em 1894, embora a teoria do recalcamento ainda não estivesse concluída, ele defendeu a tese de que as diferentes doenças mentais seriam a expressão de defesas inadequadas e mórbidas do eu. Sob a denominação de "neuropsicoses de defesa", Freud agrupou diversas entidades clínicas como a histeria, a fobia, a obsessão e algumas psicoses alucinatórias, cada uma delas decorrendo de uma forma específica de fracasso da função defensiva do eu. Na totalidade dos casos, quer se trate de neuroses ou de psicoses, estamos diante da incapacidade do eu de se defender contra o perigo de uma representação psíquica intolerável. Mas, em que uma representação psíquica, uma ideia inconsciente, pode constituir um perigo? A representação que ameaça o eu é intolerável porque diz respeito a um fragmento de realidade excessivamente investido, ligado à experiência da castração. O que constitui um perigo para o eu é, com efeito, o ressurgimento iminente – sob a forma de uma ideia inconsciente – da experiência dolorosa da castração.

Mas, que castração? A do sujeito psicótico? Não, a castração de que se trata é, desde logo, a castração do Outro, a da mãe. A dor da experiência da castração consistiu, para a criança, em constatar e perceber no corpo feminino a ausência do pênis que a mãe supostamente possuía. Sejamos precisos: a representação intolerável para o eu não é nada além do vestígio deixado pela percepção dolorosa da falta do pênis na mulher. Dolorosa porque isso significa que também a criança pode ser privada dele, e igualmente dolorosa porque essa percepção vem confirmar a seriedade da proibição paterna do incesto.

A lógica da experiência da castração

Tenhamos em mente, a partir de agora, os dois primeiros dos quatro tempos no correr dos quais se desenvolve a experiência da castração. A distinção desses dois primeiros tempos, que já estabelecemos no capítulo dedicado ao conceito de castração, é indispensável para compreender agora a teoria freudiana e, mais tarde, a teoria lacaniana da foraclusão. O tempo inaugural é um tempo mítico em que, a partir de seu próprio corpo, a criança supõe que todos os seres humanos, e em particular sua mãe, possuem um pênis. Essa condição prévia mítica é identificada por Lacan como o juízo primordial de *atribuição,* ou seja, da atribuição universal do pênis. O segundo tempo é aquele em que tem lugar o fato fundamental da experiência da castração, a saber, a percepção da falta do pênis. O vestígio desse evento perceptivo, inscrito no inconsciente, tem o valor de um juízo referente à *existência* da castração, ou, mais exatamente, à existência de uma falta de pênis numa mulher. Existe pelo menos uma pessoa, minha mãe, que não tem pênis. O juízo da existência, que atesta uma ausência particular, é o correlato do juízo da atribuição, que atesta uma presença universal. Em suma, o perigo contra o qual o eu se defende é a representação, no inconsciente, de uma experiência que comporta dois momentos: o de uma afirmação universal e o da existência particular de uma falta. O primeiro é a condição de efetuação do segundo. À *ilusão* da universalidade do pênis (juízo de atribuição) segue-se a *queda* penosa dessa ilusão, devido a dois fatores: a constatação irrevogável da falta do pênis na mãe e a submissão à lei do pai que proíbe o incesto (esses dois fatores se condensam num juízo de existência).

O desenlace da experiência da castração consolida-se por uma renúncia que agrava ainda mais a dor da criança. Ela já compreendeu que seu pênis estava ameaçado, a partir da constatação da falta na mãe e a partir da internalização da proibição do pai; agora, a criança se decide a perder a mãe, objeto de seu desejo, para salvar seu próprio sexo. Essa crise que ela teve de atravessar certamente foi fecunda e estruturante, já que ela se tornou capaz de assumir sua falta e de produzir seu próprio limite, mas dessa experiência seu eu nada mais quer saber. O registro da experiência da castração no inconsciente é aquilo que Freud denomina de "representação intolerável", e é contra essa representação que o eu se defende, por vezes segundo um modo psicótico (foraclusão). Veremos que Lacan, diversamente de Freud, faz a foraclusão referir-se não exclusivamente à simples inscrição da castração no inconsciente, mas aos dois tempos do complexo de castração: de um lado, à crença na presença de um pênis universal, e, de outro, à percepção visual dolorosa de sua ausência, confirmada pela proibição paterna.

Repúdio da representação intolerável

Tendo recordado por que a representação da castração é penosa, vejamos agora quais são os diferentes meios de defesa empregados pelo eu para se proteger dela, e, em particular, o que é mais específico da defesa psicótica. Nas neuroses – histeria, fobia ou obsessão –, a defesa, sempre mais flexível do que nas psicoses, organiza-se substituindo a representação insuportável por outra representação mais aceitável para o eu: o fracasso desse mecanismo de substituição dá lugar aos sintomas tipicamente neuróticos. Nas psicoses, em contrapartida, a defesa consiste numa ação bem determinada, radical e violenta: "Existe", escreveu Freud, "uma espécie muito mais enérgica e eficaz de defesa. Ela consiste em que o eu repudia (*verwirft*) a representação insuportável, ao mesmo tempo que seu afeto, e se comporta como se a representação nunca tivesse chegado até o eu."[2] E, mais adiante, acrescenta: "… o eu se desprende da representação inconciliável, mas esta se acha inseparavelmente ligada a um fragmento da realidade [da castração], de modo que o eu, ao praticar essa ação, separa-se também, no todo ou em parte, da realidade." Como vemos, o modo de defesa psicótico consiste, portanto, não num enfraquecimento da representação intolerável, como nas neuroses, mas numa separação radical e definitiva entre o eu e a representação. Por isso o eu expulsa a representação e, com ela, o fragmento da experiência da castração que a ela estava ligado. Em outras palavras, ao repudiar a representação, o eu repudia também o conteúdo afetivo da representação; ao repudiar o vestígio, repudia o que o vestígio evoca, a saber, o desejo sexual em relação à mãe. A defesa nas psicoses é mais expedita do que nas neuroses, porém tem como preço mergulhar a pessoa num estado grave de confusão alucinatória. Assinalemos que Freud, nessa mesma época, empregou o termo *projeção* para designar essa operação de repúdio que acabamos de expor.[3]

Abolição da representação intolerável

Ora, a concepção freudiana da defesa psicótica, inicialmente compreendida como uma expulsão da representação, vai-se modificando progressivamente. Trata-se agora de uma ação ainda mais brutal, que consiste na abolição pura e simples do perigo da representação. "Não era exato dizer" – escreveu Freud em 1911 – "que o sentimento reprimido do lado de dentro fosse projetado do lado de fora; deveríamos, antes, dizer que o que foi *abolido do lado de dentro* retorna do lado de fora."[4] Freud endureceu significativamente sua postura teórica: a representação já não era atingida pelo repúdio, mas literalmente suprimida do lado de dentro. A abolição da representação perigosa mostra-se então tão radical que poderíamos indagar-nos se a experiência da castração foi inscrita algum dia no inconsciente, e até se foi algum dia vivenciada. "Nenhum juízo era feito sobre a questão de sua existência [da castração], mas as coisas se passavam como se ela [a castração] não existisse."[5] A abolição é uma ação tão nítida e clara que temos o direito de pensar que o sujeito psicótico não conhece a dor da castração, nunca foi tocado por essa experiência crucial e decisiva. É como se estivéssemos diante da alternativa entre duas teses: ou bem – tese do *repúdio foraclusivo* – a foraclusão consiste na expulsão, para fora do eu, da representação inconsciente da castração, isto é, no repúdio da única coisa que a fazia existir no inconsciente, ou bem – tese da *abolição foraclusiva* – a defesa não é um repúdio, mas uma supressão tão violenta, um apagamento tão total dessa representação, que poderíamos concluir pela inexistência pura e simples da experiência da castração. Em suma, podemos resumir essas duas proposições da seguinte maneira: ou pensamos no *repúdio* do vestígio de uma castração que existiu, ou pensamos, paradoxalmente, na *abolição* do vestígio de uma castração que, de fato, nunca existiu.

Retorno da representação intolerável

Quer a defesa psicótica consista num repúdio enérgico ou numa abolição pura e simples, ela continua a ser fatalmente uma defesa inadequada e mórbida, pois o perigo expulso pela porta retorna obstinadamente pela janela. Com efeito, seja a representação repudiada ou abolida, ela retomará inevitavelmente desde o exterior para o eu, acarretando os distúrbios tipicamente psicóticos. Tomemos o exemplo célebre do Homem dos Lobos e, mais precisamente, do evento de uma alucinação ocorrida durante sua infância. Ele estava fazendo um entalhe na casca de uma nogueira com seu canivete de bolso, quando, de repente, observou com um "terror inexprimível" que havia cortado o dedo mínimo da mão, de tal maneira que o dedo estava preso apenas pela pele. Curiosamente, não sentiu dor alguma, mas sim um grande medo. Subitamente atingido pelo mutismo e incapaz de lançar mais um olhar que fosse a seu dedo, afundou-se no banco vizinho. Quando finalmente se acalmou, olhou para o dedo, e "eis que ele nunca tinha sofrido o menor ferimento".[6]

Freud considerou que esse episódio alucinatório testemunhou o fracasso da defesa psicótica; esta não conseguiu afastar em caráter permanente o perigo de uma castração cujo vestígio foi reativado. A representação que fora repudiada retornou de fora e se transformou, naquele momento, numa coisa alucinada (imagem alucinada do dedinho cortado). A marca da castração certamente fora repudiada do inconsciente, mas retornou sob a forma de uma alucinação.

Diferença entre o recalcamento neurótico e o repúdio psicótico. Assinalemos aqui uma diferença capital entre a defesa neurótica efetuada pelo recalcamento e a defesa psicótica efetuada pelo repúdio ou abolição. Ambas fracassam em sua tentativa de ir contra a representação intolerável da castração, uma vez que esta retorna inevitavelmente, mas as modalidades neuróticas e psicóticas desse retorno são muito diferentes. Enquanto, na neurose, a coisa recalcada e seu retorno são ambos de natureza simbólica, na psicose a coisa repudiada e o que retorna são profundamente heterogêneos. No caso do recalcamento, o retorno da representação ainda é uma representação que continua a fazer parte do eu; um sintoma neurótico, por exemplo, é um retorno da mesma natureza simbólica e está tão integrado no eu quanto a representação recalcada. Em contrapartida, o retorno psicótico é uma coisa inteiramente diferente da representação repudiada; a imagem repentina e alucinada do dedinho cortado não só não tem nenhuma das propriedades simbólicas de uma representação, como é ainda captada pelo eu sem nenhum afeto e percebida com a nitidez de uma realidade inegável que lhe seria estranha. Podemos, assim, concluir com a fórmula: *na neurose, o recalcado e o retorno do recalcado são homogêneos, ao passo que, na psicose, o repúdio e o retorno do repudiado são heterogêneos.*

O CONCEITO DE FORACLUSÃO EM LACAN

A posição teórica de Lacan a propósito da foraclusão varia conforme os textos e as épocas, mas se elabora, fundamentalmente, a partir da distinção tripartida que já estabelecemos entre o mito da atribuição universal do pênis a *todos* os seres humanos (o Todo universal), a descoberta da criança de que *existe* pelo menos uma pessoa castrada – a mãe – que constitui a exceção à universalidade do mito (o Um da existência), e o fato da própria *falta*. Temos, portanto, três elementos: o Todo universal, o Um da existência e a falta em si. Essa tríade do Todo de uma ilusão, do Um de uma exceção e da falta constitui uma matriz que Lacan irá considerar, a cada vez, segundo uma perspectiva e uma terminologia lógicas, e segundo uma perspectiva e uma terminologia classicamente edipianas. A primeira perspectiva define a dimensão simbólica, ao passo que a segunda, que lhe é perfeitamente superponível, define a tríade edipiana pai-mãe-filho. Mas, quer se trate de uma ou outra dessas perspectivas, estaremos sempre às voltas com um tripé de base – o Todo, o Um e a falta –, sobre o qual atuará a foraclusão. Veremos de que modo a operação foraclusiva incide, seja sobre o Todo, seja sobre o Um da existência, enquanto o terceiro elemento, a falta, só é indiretamente afetado. Observe-se desde já que, diferentemente de Lacan, Freud focalizou constantemente a foraclusão num único elemento, o da representação intolerável (que equivale ao Um da tríade lacaniana), enquanto Lacan, ao longo dos textos, faz a foraclusão incidir ora sobre o Todo, ora sobre o Um, ora sobre sua articulação comum.

O conceito lacaniano de foraclusão segundo a perspectiva lógica

Articulação do Todo e do Um

A dimensão chamada por Lacan de dimensão simbólica comporta, de fato, três componentes essenciais: o Todo, o Um e a falta. Três componentes constantemente articulados numa dinâmica própria da ordem simbólica: o Um de uma existência pontual, sempre cambiante, que surge e se renova contra o fundo de um Todo afetado pela incompletude. Para condensar numa fórmula o movimento da vida simbólica, diríamos: o simbólico é o perpétuo trazer à luz de uma existência que, positivamente, afirma um nascimento, e, negativamente, cava uma falta no Todo.

As palavras de nossa formulação por certo são abstratas, mas a lógica do simbólico que elas descrevem corresponde exatamente à lógica dessa experiência dolorosa – a castração – vivida em nossa infância e incessantemente renovada ao longo de toda a nossa vida, a saber, que só logramos afirmar nossa identidade de sujeito no momento de praticar um ato, ou seja, de sermos capazes de fazer *existir* um significante em resposta às exigências da realidade. E, para que isso seja possível, é preciso, primeiro, reconhecer, não sem sofrimento, a falta pela qual nossa realidade é afetada.

Dito isso, podemos agora situar melhor em que consiste a operação foraclusiva. Enquanto o mecanismo do recalcamento respeita perfeitamente a coerência e a fluidez do movimento simbólico, a foraclusão, em contrapartida, rompe brutalmente a articulação entre o Todo e a emergência sempre recomeçada do novo Um. Assim, a foraclusão consiste na não vinda de uma existência esperada. O novo deveria chegar, mas não veio. O que é feito dele, então? Precisamente, "o que acontece com ele, vocês podem ver: o que não veio à luz desde o simbólico aparece no real". Em outras palavras, a nova existência que deveria ter atualizado o simbólico (um sintoma ou um lapso, por exemplo) fica literalmente abolida, sufocada, para logo ressurgir violentamente no real. O Um da existência simbólica que não chegou ali onde era esperado aparece então em outro lugar, transformado num fato real, súbito, maciço, sem apelação. Se voltarmos ao episódio alucinatório do Homem dos Lobos, reconheceremos assim, no mutismo do menino petrificado por sua alucinação, o sinal mais revelador do retorno, no real, de uma fala que deveria ter existido, ou seja, que deveria ter sido dita pela criança. Acabrunhado, o menino ficou sem voz, e a fala que não veio à luz no simbólico transformou-se então na realidade de uma imagem alucinada.

Sem dúvida, a foraclusão cortou o vínculo entre o Todo e o Um, ou entre o juízo de afirmação e o juízo de existência. Mas será que podemos precisar com mais exatidão o ponto de impacto da operação foraclusiva? Qual é o elemento foraclusivo? A posição de Lacan a esse respeito não nos parece sempre nítida. Por vezes, em alguns textos, sobretudo os primeiros (1954), a foraclusão corresponde à abolição pura e simples desse Todo prévio designado por ele pelo nome de *Bejahung primária* ou juízo de atribuição primordial, que aqui definimos como sendo o mito do pênis universal. Quando Lacan sustenta a hipótese da foraclusão da *Bejahung primária,* compreendemos que está postulando a eventualidade de uma foraclusão do primeiro tempo da castração, ou seja, uma *ausência* de qualquer crença na universalidade do pênis. Sendo a *Bejahung* o próprio solo em que se enraíza a experiência da castração, sua foraclusão significa que a criança nem sequer teve que se confrontar com o dilema de atravessar essa prova ou recuar diante dela. É como se a criança, futuro psicótico, não houvesse tido sequer a possibilidade de viver a ilusão primeira do mito de um pênis atribuído a todos. Não tendo sido vivida pela criança a ilusão da onipresença do pênis, fica impossibilitada a sua percepção da ausência dele na mãe. Eis duas passagens em que Lacan afirma que a foraclusão é a foraclusão da *Bejahung.* Nos *Escritos,* por exemplo, na página 564, lemos que a foraclusão "... se articula como a ausência do juízo de atribuição". Ou ainda, no *Seminário* 1, página 73, está escrito que, para o Homem dos Lobos, não houve *Bejahung.*

Inversamente, em outros textos, em geral mais tardios (a partir de 1955-1956), Lacan adotaria outra posição teórica, que se converteria progressivamente em sua posição definitiva, segundo a qual a foraclusão incide não sobre o Todo, mas sobre *um* significante. Justamente essa concepção da foraclusão fundamentalmente atuante num significante é que seria desenvolvida por Lacan à luz do mito edipiano.

O conceito lacaniano de foraclusão segundo a perspectiva edipiana

Que é o Nome do Pai?

Nossa tríade simbólica do Todo, do Um e da falta converte-se agora na figura ternária do Todo da *mãe onipotente,* do Um do significante do *Nome do Pai,* e da falta representada pelo *desejo da mãe.* Adiantemos de imediato que a foraclusão se exercerá exclusivamente sobre o significante do Nome do Pai. A fim de compreender o sentido desta expressão, "foraclusão do Nome do Pai", cabe-nos, inicialmente, admitir uma série de precondições:

- O Nome do Pai, expressão de origem religiosa, não é o equivalente ao nome patronímico de um pai em particular, mas designa a função paterna tal como é internalizada e assumida pela própria criança. Insistamos, para sublinhá-lo bem, em que o Nome do Pai não é simplesmente o lugar simbólico que pode ou não ser ocupado pela pessoa de um pai, mas é qualquer expressão simbólica produzida pela mãe ou produzida pelo filho, representando a instância terceira, paterna, da lei da proibição do incesto. Se quisermos, portanto, situar o significante do Nome do Pai, será preciso, antes de mais nada, procurá-lo na maneira como uma mãe, na condição de mulher desejante, situa-se em relação à lei simbólica da proibição, ou na maneira como um filho, na condição de sujeito desejante, integrou em si a proibição e torna-se então capaz de praticar um ato ou de instituir seu próprio limite. Bem entendido, a pessoa em si do pai real é igualmente atravessada pela lei simbólica do Pai, mas com a dificuldade suplementar de ter que reger sua conduta cotidiana de pai de acordo com uma lei que, inevitavelmente, o ultrapassa.

- O Nome do Pai, entendido como expressão do desejo da mãe ou do desejo do filho, é qualificado por Lacan de metáfora paterna, ou seja, metáfora do desejo da criança perpassada pelo desejo da mãe.
- O Nome do Pai não designa alguma coisa objetiva, localizável, nomeável de uma vez por todas, mas sim qualquer expressão significante que venha ocupar o lugar da metáfora do desejo da criança ou do desejo da mãe. Um sintoma, um gesto, uma palavra, uma decisão ou mesmo uma ação, todos são, em sua diversidade, exemplos de significantes do Nome do Pai, sendo cada um deles uma expressão singular do desejo. Precisemos que o lugar do Nome do Pai é sempre Um, mesmo que os elementos que se achem a ocupá-lo sejam, por sua vez, múltiplos e inumeráveis.

Para que se desencadeie a foraclusão, é necessária a incitação de um apelo

Mas o que define acima de tudo o Nome do Pai – e isso é decisivo para compreender o sentido do conceito lacaniano de foraclusão – é o seguinte fato: o significante do Nome do Pai é a resposta sempre renovada a um apelo proveniente de um outro, de um semelhante externo ao sujeito. Só há significantes do Nome do Pai numa sucessão infinita de respostas "vindas à luz pelo simbólico". Pois bem, a foraclusão consiste precisamente na suspensão de qualquer resposta à solicitação, dirigida a um sujeito, de ter que fornecer uma mensagem, praticar um ato ou instituir um limite. Por isso a foraclusão é a não vinda do significante do Nome do Pai no lugar e no momento em que ele é chamado a advir. Compreendemos, assim, por que não pode haver ação foraclusiva sem a condição de um apelo que a desencadeie. Em suma, para que a operação de foraclusão se verifique, isto é, para que haja carência de um significante ali onde deveria haver a emergência dele, é necessária a incitação prévia de um apelo.

Mas de onde vem esse apelo? A foraclusão é a não resposta a uma mensagem ou a uma demanda proveniente de uma pessoa em posição terceira em referência à relação dual e imaginária entre o sujeito, futuro psicótico, e um semelhante apaixonadamente amado ou odiado.

Para o psicanalista, localizar a origem do apelo equivale a pesquisar o contexto em que debutou o processo da psicose. A pessoa que invoca a vinda à luz do Nome do Pai no futuro psicótico é, segundo Lacan, *Um-Pai,* isto é, uma pessoa "situada em posição terceira em alguma relação que tenha por base o par imaginário eu-objeto", par este frequentemente carregado de uma intensa tensão afetiva. Por exemplo, o apelo será encarnado "... para a mulher que acaba de dar à luz, na figura de seu marido; para a penitente que confessa seu erro, na pessoa de seu confessor; ou ainda, para a mocinha enamorada, no encontro com o pai do rapaz". Marido, confessor ou pai, todos são personagens laterais, relativamente menos investidos pelo sujeito do que o parceiro do par imaginário. Esses diferentes personagens – o Um-Pai –, de aparência basicamente secundária, desempenham, sem saber disso, o papel principal no desencadeamento de um episódio psicótico.

As duas consequências da foraclusão do Nome do Pai: consequências simbólicas e imaginárias

Para concluir, vamos agora aos efeitos produzidos pela foraclusão. Distinguiremos esquematicamente duas ordens de consequências provocadas pela foraclusão do significante do Nome do Pai: os distúrbios no simbólico e os distúrbios no imaginário.

Quando a operação de foraclusão se verifica, ou seja, quando o Nome do Pai não surge ali onde era esperado, segue-se no paciente psicótico uma série de remanejamentos de elementos simbólicos que subvertem os referenciais habituais do espaço e do tempo e que, sobretudo, perturbam as representações relativas a sua filiação. Todos esses remanejamentos são induzidos pela vacância criada no simbólico, e que Lacan denomina de "buraco cavado no campo do significante". Em torno desse furo ergue-se a construção de uma nova realidade que vem substituir a realidade perdida, anterior à ocorrência do evento foraclusivo. Fazendo referência ao título de um artigo de Freud, "A Perda da Realidade na Neurose e na Psicose", Lacan sustenta que o problema fundamental no processo de uma psicose não é tanto o da perda da realidade quanto o do mecanismo de formação da nova realidade que vem substituí-la (cf. *Escritos*, p.548-9). Esclareçamos aqui que o problema da produção de uma nova realidade por foraclusão foi longamente desenvolvido em nosso artigo já citado, "A Foraclusão Local: Contribuição para a Teoria Lacaniana da Foraclusão".[7]

Os traços mais marcantes dessa nova realidade, já os reconhecemos com o exemplo do episódio alucinatório do Homem dos Lobos. Trata-se de uma realidade maciça, por ser invasiva, enquistada, por ser isolada dos outros acontecimentos, enigmática, por ser insensata (ausência de significação fálica), compacta, por não passar de uma tensão psíquica exacerbada, e, acima de tudo, incontestavelmente verdadeira e certa para o sujeito. Verdadeira e certa, entendamos, não por corresponder a uma realidade tangível e verificável pela experiência dos fatos, mas porque *essa* realidade precisa *dirige-se* incontestavelmente apenas a mim. Tenho certeza não do caráter autêntico desta ou daquela realidade, mas do fato de que essa realidade concerne a mim. Assim, o que é incontestável não é a realidade em si, mas o fato de ela ser minha. Minha certeza "psicótica" reside, portanto, na convicção absoluta e espontânea de que tal realidade é minha realidade, e eu, seu único agente.

A outra consequência, de ordem imaginária, provocada pela foraclusão, pode ser resumida numa cristalização da relação imaginária do eu psicótico com um outro eleito, relação esta carregada de uma extrema agressividade erotizada, que pode ir até o desaparecimento da imagem especular e, nos casos extremos, até a destruição mortífera do semelhante. Trata-se aí, segundo Lacan, de uma regressão do psicótico ao estádio do espelho, "... na medida em que a relação com o outro especular reduz-se aí a seu corte mortal" (*Escritos,* p.574-5).

Citações das obras de S. Freud e J. Lacan sobre a foraclusão

Freud

A foraclusão (aqui, projeção) é a expulsão de uma ideia sexual que retorna sob a forma de uma percepção delirante (exemplo da paranoia)

Surge numa mulher o desejo da relação sexual com o homem. Ele [o desejo] sofre o recalcamento e reaparece sob a seguinte forma: dizem lá fora que ela tem o desejo, coisa que ela nega.

Que aconteceu nessa espécie de recalcamento e de retorno característico da paranoia? Uma ideia – o conteúdo do desejo – negada no interior foi projetada para o exterior, e retorna como uma realidade percebida, contra a qual o recalcamento pode agora exercer-se novamente como oposição.[1] (1907)

Três atitudes psíquicas diferentes, o recalcamento, a aceitação e o repúdio da castração, podem coexistir

No final, subsistiam nele [no Homem dos Lobos], lado a lado, duas correntes opostas, uma das quais abominava a castração, enquanto a outra estava disposta a admiti-la e a se consolar com a feminilidade a título de substituto. A terceira corrente, a mais antiga e mais profunda, que havia simplesmente *rejeitado a castração,* e na qual o juízo sobre a realidade desta ainda não estava em questão, certamente era, ainda e sempre, passível de ser ativada.[2] (1918)

*Rejeitar a castração significa, não expulsá-la para fora,
mas tratá-la como se não existisse*

Quando afirmei que ele a rejeitou [a castração], a primeira significação dessa expressão é que ele não quis saber coisa alguma dela no sentido do recalcamento. Nenhum juízo, falando propriamente, foi feito através disso sobre sua existência [da castração], mas tudo se passou como se ela não existisse.³ (1918)

Lacan

*O recalcado e o retorno do recalcado são homogêneos (neurose),
o repúdio (foraclusão) e o retorno do repudiado são
heterogêneos (psicose)*

O que cai sob o golpe do recalque retorna, pois o recalque e o retorno do recalcado são apenas o direito e o avesso de uma mesma coisa. O recalcado está sempre aí, e ele se exprime de maneira perfeitamente articulada nos sintomas … . Em compensação o que cai sob o golpe da *Verwerfung* tem uma sorte completamente diferente.⁴

A foraclusão é a foraclusão do juízo de atribuição

O processo de que se trata aqui sob o nome de *Verwerfung* … é exatamente o que se opõe à *Bejahung* primária e constitui, como tal, o que é expulso … . A *Verwerfung*, portanto, põe termo a qualquer manifestação da ordem simbólica, ou seja, à *Bejahung* que Freud situa como o processo primário em que se enraíza o juízo atributivo.⁵

A castração não simbolizada, não vinda à luz pelo simbólico, reaparece no real. Lacan traduz aqui "verworfen" por "suprimido", e não por "foraclusão"

Mas, com isso que não teve possibilidade de ser nessa *Bejahung*, que acontece então? Freud no-lo disse de imediato: o que o sujeito suprimiu [*verworfen*] assim ... da abertura para o ser não será encontrado em sua história, se designarmos por esse nome o lugar onde o recalcado vem a aparecer. Porque ... o sujeito *não quer* "*saber nada disso no sentido do recalcamento*". É que, para que ele tivesse efetivamente de conhecê-lo nesse sentido, seria preciso que isso tivesse vindo à luz de alguma maneira desde a simbolização primordial. Porém, mais uma vez, o que acontece? O que acontece, vocês podem vê-lo: *o que não veio à luz desde o simbólico aparece no real.*[6]

A castração rejeitada do simbólico reaparece em outro lugar, no real

... tudo o que é recusado na ordem simbólica, no sentido da *Verwerfung* (foraclusão), reaparece no real .... Que ele [o Homem dos Lobos] tenha rejeitado todo o acesso à castração ..., no registro da função simbólica ..., tem ligação muito estreita com o fato de que lhe tenha sucedido ter tido na infância uma curta alucinação ...[7]

A foraclusão é a foraclusão do significante do Nome do Pai

A *Verwerfung*, portanto, será tomada por nós como *foraclusão* do significante. No ponto em que ... se invoca o Nome do Pai, portanto, pode responder no Outro um furo puro e simples, o qual, pela carência do efeito metafórico, provocará um furo correspondente no lugar da significação fálica.[8]

É num acidente desse registro [simbólico] e do que ali se consuma, a saber, a foraclusão do Nome do Pai no lugar do Outro, e no fracasso da metáfora paterna, que designamos a falha que dá à psicose sua condição essencial ...[9]

Não pode haver foraclusão sem a incitação de um apelo que a preceda e a desencadeie

Para que a psicose se desencadeie, é preciso que o Nome do Pai, *verworfen,* foracluído, ou seja, jamais vindo no lugar do Outro, seja chamado aí em oposição simbólica ao sujeito.[10]

BIBLIOGRAFIA DAS CITAÇÕES

1. Sigmund Freud e C.G. Jung, *Correspondance* (1906-1914), Gallimard, 1975, vol.I, p.86.
2. A Partir de l'Histoire d'une Névrose Infantile (L'Homme aux Loups)", in *Oeuvres Complètes,* vol.XIII, PUF, 1988, p.82 ["História de uma Neurose Infantil", *ESB* vol.XVII].
3. Ibid.
4. *O Seminário,* livro 3, *As psicoses,* Rio de Janeiro, Zahar, 2ª ed., 2008, p.21.
5. "Réponse au Commentaire de Jean Hyppolite sur la 'Vemeinung' de Freud", in *Écrits,* Seuil, 1966, p.387-8. [Ed bras.: "Resposta ao comentário de Jean Hyppolite sobre a 'Vemeinung' de Freud", in *Escritos,* Rio de Janeiro, Zahar, 1998, p.388-90].
6. Ibid., p.388.
7. *O Seminário,* livro 3, *As psicoses,* op.cit., p.21-2.
8. "D'Une Question Préliminaire à Tout Traitement Possible de la Psychose", in *Écrits,* p.558. [Ed bras.: "De uma questão preliminar a todo tratamento possível da psicose", in *Escritos*, Rio de Janeiro, Zahar, 1998, p.564-5].
9. Ibid., p.575.
10. Ibid., p.577.

Seleção bibliográfica sobre a foraclusão

Freud, S.

1894 "Les Psychonévroses de Défense", in *Névrose, Psychose et Perversion,* PUF, 1973, p.1-14 ["As Neuropsicoses de Defesa", *ESB* vol.III].

1896 "Nouvelles Remarques sur les Psychonévroses de Défense", in *Névrose, Psychose et Perversion,* op.cit., p.61-81 ["Observações Adicionais sobre as Neuropsicoses de Defesa", *ESB* vol.III].

1911 "Remarques Psychanalytiques sur l'Autobiographie d'un Cas de Paranoïa (Le Président Schreber)", in *Cinq Psychanalyses,* PUF, 1954, p.312-5 ["Notas Psicanalíticas sobre um Relato Autobiográfico de um Caso de Paranoia (Dementia Paranoides)", *ESB* vol.XII].

1918 "Extrait de l'Histoire d'une Névrose Infantile (L'Homme aux Loups)", in *Cinq Psychanalyses,* op.cit., p.384-5, 389-90 ["História de uma Neurose Infantil", *ESB* vol.XVII].

1925 "La Négation", in *Résultats, Idées, Problèmes II,* PUF, 1985, p.135-9 ["A Negação", *ESB* vol.XIX].

Lacan, J.

O Seminário, livro 3, *As psicoses,* Rio de Janeiro, Zahar, 2ª ed., 2008, p.21-2, 57-8, 97-100, 102-4, 169, 173-4, 180, 230-2, 286, 360-1.

Écrits., Seuil, 1966, p.386-92, 558, 563-4, 575-83. [Ed bras.: *Escritos,* Rio de Janeiro, Zahar, 1998, p.387-94, 564-5, 569-71, 581-90].

... *Ou Pire* (seminário inédito), aula de 9 de fevereiro de 1972.

APARITIO, S., "La Forclusion, Préhistoire d'un Concept", in *Ornicar?* nº 28, 1984, p.83-105.

AULAGNIER, P., *La Violence de l'Interprétation,* PUF, 1975, p.207 [*A violência da interpretação,* Rio, Imago Ed., 1979].

DREYFUSS, J.-P., "Un Cas de Mélancolie", *Littoral,* nos 11-2, 1984, p.178-9, 182-91.

JURANVILLE, A., *Lacan e a filosofia,* Rio de Janeiro, Zahar, 1987, p.236-42.

LAPLANCHE, J., PONTALIS, J.-B., verbete "Forclusion", in *Vocabulaire de La Psychanalyse,* PUF, 1967, p.163-7 [verbete "Rejeição ou Repúdio", in *Vocabulário da psicanálise,* Lisboa, Moraes Eds., 1971].

LECLAIRE, S., "A Propos de l'Épisode Psychotique de l'Homme aux Loups", in *La Psychanalyse,* nº 4, 1958.

NASIO, J.-D., "A Foraclusão Fundamental", in *A criança magnífica da psicanálise,* Rio de Janeiro, Zahar, 1988, p.147-55.

_____, "La Forclusion Locale: Contribution à la Théorie Lacanienne de la Forclusion", in *Les Yeux de Laure. Le Concept d'Objet a dans la Théorie de J. Lacan,* Aubier, 1987, p.107-48. [Ed bras.: "A foraclusão local: um conceito novo para entender melhor a psicose e explicar por que cada um de nós passa inevitavelmente por momentos de loucura", in *Os olhos de Laura: Somos todos loucos em algum recanto de nossas vidas,* Rio de Janeiro, Zahar, 2011].

_____, "Naissance d'une Hallucination", in *Études Freudiennes,* nº 29, abril de 1987.

Notas bibliográficas

1. O conceito da castração (p.11-34)

1. S. Freud, "Analyse d'une Phobie chez un Petit Garçon de Cinq Ans (Le Petit Hans)", in *Cinq Psychanalyses.*, PUF, 1975 ["Análise de uma Fobia num Menino de Cinco Anos" *Edição Standard Brasileira das Obras Completas de Sigmund Freud, ESB*, vol.X].
2. S. Freud, "Les Théories Sexuelles Infantiles", in *La Vie Sexuelle,* PUF, 1969, p.19 ["Sobre as Teorias Sexuais Infantis", *ESB* vol.IX].
3. Ao longo de todo este texto utilizaremos o termo pênis sem nos preocuparmos em distingui-lo do termo falo. Essa distinção será objeto do capítulo seguinte, dedicado ao "falo".
4. S. Freud, "La Disparition du Complexe d'Oedipe" (1923), in *La Vie Sexuelle,* op.cit., p.119 ["A Dissolução do Complexo de Édipo", *ESB* vol.XIX].
5. S. Freud, "Quelques Conséquences Psychiques de la Différence Anatomique entre les Sexes" (1925), in *La Vie Sexuelle,* op.cit., p.131 ["Algumas Consequências Psíquicas da Diferença Anatômica entre os Sexos", *ESB* vol.XIX].
6. Ibid.
7. Ibid., p.126, grifo nosso.
8. Ibid., p.127.
9. Observemos um outro traço particular da castração feminina: a menina percebe visualmente o pênis de um menino de seu meio, mas não se arrisca à confrontação visual do corpo despido do pai.
    Após a experiência visual, a menina vê-se forçada a admitir que é castrada de uma coisa sobre a qual sabia, inconscientemente e desde sempre, que estava *privada*. Está, portanto, castrada de um pênis universal simbólico que nunca acreditara possuir realmente. Seu corpo de mulher sabia desde sempre que ela não estava realmente privada dele. A privação, segundo Lacan, define-se como a falta real de um objeto simbólico (pênis universal).
10. J.-D Nasio, "Le Concept d'Hystérie", in *Enseignement de 7 Concepts Cruciaux de la Clinique Psychanalytique,* a ser publicado pela editora Rivages/Psychanalyse.
11. S. Freud, "Sur la Sexualité Feminine", in *La Vie Sexuelle,* op.cit., p.143 ["Sexualidade Feminina", *ESB* vol.XXI].

12. S. Freud, "Quelques Conséquences Psychiques de la Différence Anatomique entre les Sexes", loc.cit., p.130 ["Algumas Consequências Psíquicas da Diferença Anatômica entre os Sexos", *ESB* vol.XIX].
13. S. Freud, "L'Organisation Génitale Infantile" (1923), in *La Vie Sexuelle*, op.cit., p.116 ["A Organização Genital Infantil: Uma Interpolação na Teoria da Sexualidade", *ESB* vol.XIX].

2. O conceito de falo (p.35-48)

1. J. Lacan, *O Seminário*, livro 3, *As psicoses*, Rio de Janeiro, Zahar, 2008, p.351.

3. O conceito de narcisismo (p.49-81)

1. A versão final deste texto foi estabelecida por Liliane Zolty.
2. S. Freud, "Pour Introduire le Narcissisme", in *La Vie Sexuelle,* op.cit., p.96 ["Sobre o Narcisismo: Introdução", *ESB* vol.XIV].
3. F. Perrier, *La Chaussée d'Antin,* Bourgois, 1978, vol.II, p.110.
4. Esses movimentos acham-se indicados sobretudo em 1911, em "Remarques Psychanalytiques sur l'Autobiographie d'un Cas de Paranoïa", in *Cinq Psychanalyses,* op.cit. ["Nota Psicanalítica sobre um Relato Autobiográfico de um Caso de Paranoia (Dementia Paranoides)", *ESB* vol.XII], e em 1913, em "La Disposition à la Névrose Obsessionnelle", in *Névrose, Psychose et Perversion,* PUF, 1973, p.193 ["A Predisposição à Neurose Obsessiva", *ESB* vol.XII].
5. S. Freud, *Trois Essais sur la Théorie de la Sexualité,* Gallimard, 1962, nota 13, p.168 [*Três ensaios sobre a teoria da sexualidade, ESB* vol.VII, 2ª ed. revista, 1989].
6. Escolha que se distingue da "escolha anaclítica de objeto", em que o sujeito privilegia "a mulher que nutre" ou "o homem que protege", ou seja, objetos sexuais que derivam das primeiras experiências de satisfação ligadas ao exercício das funções vitais.
7. Da mesma forma, a libido de objeto e a libido do eu não se acham numa relação de exclusão: existe uma reversibilidade da libido, porque o próprio eu é um objeto que se constitui na imagem do outro.
8. Em *Cinq Psychanalyses,* op.cit., p.310 ["Nota Psicanalítica sobre um Relato Autobiográfico de um Caso de Paranoia (Dementia Paranoides)", op.cit.].
9. S. Freud, "Deuil et Mélancolie", in *Métapsychologie,* Gallimard, 1968, p.158 ["Luto e Melancolia", *ESB* vol.XIV].

10. S. Freud, "Le Moi et le Ça", in *Essais de Psychanalyse*, Payot, 1981, p.260 [*O ego e o id, ESB* vol.XIX].
11. S. Freud, "Psychologie des Foules et Analyse du Moi", in *Essais de Psychanalyse*, op.cit., p.242 ["Psicologia das Massas e Análise do Ego", *ESB* vol.XVIII].
12. Ibid., p.241.
13. S. Freud, "Pour Introduire le Narcissisme", loc.cit., p.82.
14. Essa formulação surgiu em 1926, em *Inhibition, Symptôme et Angoisse*, PUF, 1951, p.101 [*Inibição, sintoma e angústia, ESB* vol.XX].
15. Com todo o rigor, devemos deixar claro um ponto. Lacan reconheceu o estádio do espelho como formador do *eu* [*Je*] e não do eu [*moi*], como estas linhas dariam a entender. Compare-se com as colocações feitas anteriormente.
16. S. Freud, "Sur Quelques Mécanismes Névrotiques dans la Jalousie, la Paranoïa et l'Homosexualité", in *Névrose, Psychose et Perversion*, op.cit. p.271-81 ["Alguns Mecanismos Neuróticos no Ciúme, na Paranoia e no Homossexualismo", *ESB* vol.XVIII].
17. J. Lacan, *O Seminário*, livro 1, *Os escritos técnicos de Freud*, Rio de Janeiro, Zahar, 2ª ed., 2009, p.205.
18. S. Freud, "Observations sur l'Amour de Transfert", in *La Technique Psychanalytique*, PUF, 1953, p.123 ["Observações sobre o Amor Transferencial (Novas Recomendações sobre a Técnica da Psicanálise, III)", *ESB* vol.XII].
19. Ou seja, a instalação do objeto no lugar do ideal de eu, como na hipnose.
20. J. Lacan, "Au-delà du Principe de Réalité, in *Écrits*, Seuil 1966, p.85. [Ed bras.: "Para-além do 'princípio de realidade'", in *Escritos*, Rio de Janeiro, Zahar, 1998, p.88-9].
21. J. Lacan, "Variantes de la Cure-type", in *Écrits*, op.cit., p.347. [Ed bras.: "Variantes do tratamento-padrão'", in *Escritos*, Rio de Janeiro, Zahar, 1998, p.349-50].

4. O conceito de sublimação (p.83-107)

1. S. Freud, *La Naissance de la Psychanalyse*, PUF, 1956, p.174-5.
2. S. Freud, *Introduction à la Psychanalyse*, Payot, 1981, p.419 [*Conferências introdutórias* sobre *psicanálise, ESB* vol.XVI].
3. S. Freud, *Correspondance avec la Pasteur Pfister*, carta de 9 de fevereiro de 1909, Gallimard, 1972.

4. Em benefício da clareza. condensamos dois destinos da pulsão num só. *O retorno sobre o próprio eu* comporta, na verdade, dois destinos que Freud discerne cuidadosamente: o retorno sobre a própria pessoa e a inversão da pulsão ativa em passiva. Cf. "Pulsions et Destins des Pulsions", in *Oeuvres Complètes,* XIII, PUF, 1988, p.172 ["As Pulsões e suas Vicissitudes", *ESB* vol.XIV]. Esclarecemos ainda que, nesse texto, o terceiro destino, o da inibição, não aparece.
5. "Mas [o artista] só pode chegar a isso [a dar forma artística às fantasias] porque os outros homens sentem a mesma insatisfação que ele a respeito da renúncia exigida no real e porque *essa insatisfação é, em si mesma, um fragmento da realidade*" (*Résultats, Idées, Problèmes I,* PUF, 1984, p.141).
6. S. Freud, "La Morale Sexuelle Civilisée…", in *La Vie Sexuelle,* op.cit., p.33 ["Moral Sexual 'Civilizada' e Doença Nervosa Moderna", *ESB* vol.IX].
7. *Cinq Psychanalyses,* op.cit., 191.
8. *La Vie Sexuelle,* op.cit., p.98-9.

5. O conceito de identificação (p.109-145)

1. Freud raramente explicita essa substituição, que, permanecendo em silêncio, está na origem de frequentes confusões nos escritos analíticos, embora esteja subjacente a numerosos avanços teóricos importantes. Aqui estão duas passagens em que Freud enuncia claramente a substituição de um ser humano por uma instância psíquica. A primeira foi retirada de "Dostoievski e o Parricídio" [*ESB* vol.XXI]: "A relação entre a pessoa e o objeto-pai transformou-se numa relação entre o ego e o superego: uma nova encenação num segundo cenário" (in *Résultats, Idées, Problèmes II,* PUF, 1985, p.171); a segunda passagem foi extraída de "Psicologia das Massas e Análise do Ego" [*ESB* vol.XVIII]: "todas as interações entre objeto externo e ego-total se repetem nesse novo teatro no interior do ego [si mesmo]" (in *Essais de Psychanalyse,* Payot, 1981, p.199-200).
2. Para o psicanalista, o pai do filho e o pai morto são dois personagens completamente diferentes: o pai que o filho imita é uma pessoa; o outro pai, morto, com o qual seu eu se identifica, é uma representação psíquica inconsciente.
3. "Um indivíduo é, portanto, a nosso ver, um id psíquico, desconhecido e inconsciente" ("Le Moi et le Ça", loc.cit., p.236).

4. Não existe na obra de Freud uma classificação do conceito de identificação que tenha recebido a concordância unânime dos psicanalistas. Classificar é sempre um gesto teórico arbitrário; uma confirmação da diversidade das abordagens nos é fornecida pela leitura dos documentos preparatórios para o XXXIV Congresso da Associação Psicanalítica Internacional, dedicado justamente ao tema da identificação (Hamburgo, julho de 1985).
5. "Mas o ego é também, como aprendemos, inconsciente" ("Le Moi et le Ça", loc.cit., p.235).
6. À semelhança de Freud e por comodidade de exposição, acabamos de empregar a palavra "objeto" em sua acepção mais ampla, a do outro enquanto ser amado, desejado e perdido. Ora, lembramos que, com todo o rigor, a palavra objeto designa somente o traço saliente do outro amado, desejado e perdido. Insisto novamente: o objeto é o traço saliente uma vez inscrito no inconsciente, e não a pessoa do outro de quem esse traço foi separado. Esse esclarecimento, que remete à regra combinada com o leitor na página 117, é válido para todas as outras modalidades de identificação parcial.
7. Mais do que decompor, caberia dizer que a sombra do objeto *divide* o eu em duas partes, com uma parte fora da sombra – chamada supereu – enfurecendo-se contra a outra parte que permaneceu na sombra, identificada com o objeto perdido. Cf. "Doistoiévski e o Parricídio", loc. cit., p.169-70 [da edição francesa], bem como "Psicologia das Massas e Análise do Ego", loc.cit., p.173 [da edição francesa].
8. Essa coisa sexualmente desejável em que a Sra. K. se transforma é chamada de *falo* pela psicanálise. Se retomarmos a teoria lacaniana, a expressão completa será "falo imaginário"; imaginário porque essa coisa em que a Sra. K. se decompõe é o lugar sexual – região genital – percebido na imagem do outro. Eis aqui o apoio proveniente de uma frase de Lacan: "... o falo, ou seja, a imagem do pênis, é negativizado em seu lugar na imagem especular [do outro]" (*Escritos*, p.836-7).
9. Variação que encontraremos mais tarde, nas categorias lacanianas, sob o nome de identificação fantasística.
10. Com todo o rigor, devemos estabelecer claramente um detalhe. Lacan reconhecia o estádio do espelho como formador do eu [*Je*], e não do eu [*moi*], como nossas colocações dariam a entender. Nossas colocações não são contraditórias às de Lacan, sob a condição de ficar bem entendido que chamamos *Je* a essa primeira épura do eu posteriormente convertida numa instância simbólica representativa do sujeito do inconsciente.

6. O conceiro de supereu (p.147-169)

1. Esclarecemos aqui que a função supereu-oica de exortação a um gozo ideal une-se ao conceito psicanalítico de *ideal do eu*. Habitualmente, duas noções, a de supereu e a de ideal do eu, são consideradas como expressões equivalentes, e muitas vezes o próprio Freud as emprega indiferentemente. Sua distinção foi alvo de um debate já clássico em psicanálise. Seguindo Lacan, que caracteriza o supereu como cerceador e o ideal do eu como exaltador, proporemos considerar o primeiro como uma aspiração espontânea, por amor pelo ideal (ideal do eu), e o segundo como uma aspiração obrigatória em resposta à injunção supereu-oica de atingir o ideal do gozo (supereu).
2. Convém esclarecermos que, já em 1930, Melanie Klein e a Escola Inglesa haviam defendido pela primeira vez a formação precoce de um supereu tornado particularmente voraz e cruel pelas fantasias orais e sádicas do lactente.
3. Cf. *Les Yeux de Laure. Le Concept d'Objet a dans la Théorie de J. Lacan*, Aubier, 1987, p.107-48. [Ed bras.: *Os olhos de Laura: Somos todos loucos em algum recanto de nossas vidas*, Rio de Janeiro, Zahar, 2011].
4. Ainda que a gênese de ambos seja diferente, preferimos manter a hipótese de que, do ponto de vista de suas funções, o supereu tirânico não é mais do que uma categoria derivada do supereu primordial edipiano.
5. "Le Moi et le Ça", loc.cit., p.264.
6. Ibid., p.267.

7. O conceiro de foracusão (p.171-194)

1. In *Les Yeux de Laure*, op.cit., p.107-32. [Ed bras.: *Os olhos de Laura*, op.cit.].
2. "Les Psychonévroses de Défense", in *Névroses, Psychose et Perversion*, op.cit., p. 12-13 ["As Neuropsicoses de Defesa", *ESB* vol.III].
3. S. Freud, *La Naissance de la Psychanalyse*, PUF, 1979, p.100.
4. *Cinq Psychanalyses*, op.cit., p.315.
5. Ibid., p.389.
6. *Cinq Psychanalyses*, op.cit., p.390.
7. In *Les Yeux de Laure*, op.cit., p.107-32. [Ed bras.: *Os olhos de Laura*, op.cit.].

Índice geral

Apresentação
Como definir um conceito psicanalítico, LILIANE ZOLTY 9

1. O CONCEITO DE CASTRAÇÃO 11

2. O CONCEITO DE FALO 35

3. O CONCEITO DE NARCISISMO 49

4. O CONCEITO DE SUBLIMAÇÃO 83

5. O CONCEITO DE IDENTIFICAÇÃO 109

6. O CONCEITO DE SUPEREU 147

7. O CONCEITO DE FORACLUSÃO 171

Notas bibliográficas 195

Coleção Transmissão da Psicanálise

Não Há Relação Sexual
Alain Badiou

Fundamentos da Psicanálise
de Freud a Lacan
(4 volumes)
Marco Antonio Coutinho Jorge

Histeria e Sexualidade
Transexualidade
Marco Antonio Coutinho Jorge;
Natália Pereira Travassos

Por Amor a Freud
Hilda Doolittle

A Criança do Espelho
Françoise Dolto e J.-D. Nasio

O Pai e Sua Função em Psicanálise
Joël Dor

Introdução Clínica à
Psicanálise Lacaniana
Bruce Fink

A Psicanálise de Crianças
e o Lugar dos Pais
Alba Flesler

Freud e a Judeidade
Betty Fuks

A Psicanálise e o Religioso
Phillipe Julien

O Que É Loucura?

Simplesmente Bipolar
Darian Leader

5 Lições sobre a
Teoria de Jacques Lacan

9 Lições sobre Arte e Psicanálise

Como Agir com um
Adolescente Difícil?

Como Trabalha um Psicanalista?

A Depressão É a Perda de uma
Ilusão

A Dor de Amar

A Dor Física

A Fantasia

Os Grandes Casos de Psicose

A Histeria

Introdução à Topologia de Lacan

Introdução às Obras de Freud,
Ferenczi, Groddeck, Klein,
Winnicott, Dolto, Lacan

Lições sobre os 7 Conceitos
Cruciais da Psicanálise

O Livro da Dor e do Amor

O Olhar em Psicanálise

Os Olhos de Laura

Por Que Repetimos os Mesmos Erros?

O Prazer de Ler Freud

Psicossomática

O Silêncio na Psicanálise

Sim, a Psicanálise Cura!
J.-D. Nasio

Guimarães Rosa e a Psicanálise
Tania Rivera

A Análise e o Arquivo

Dicionário amoroso da psicanálise

Em Defesa da Psicanálise

O Eu Soberano

Freud – Mas Por Que Tanto Ódio?

Lacan, a Despeito de Tudo e de Todos

O Paciente, o Terapeuta e o Estado

A Parte Obscura de Nós Mesmos

Retorno à Questão Judaica

Sigmund Freud na sua Época
e em Nosso Tempo
Elisabeth Roudinesco

O Inconsciente a Céu Aberto da Psicose
Colette Soler

1ª EDIÇÃO [1988] 16 reimpressões

ESTA OBRA FOI COMPOSTA POR SUSAN JOHNSON EM MINION PRO E META PRO
E IMPRESSA EM OFSETE PELA GRÁFICA PAYM SOBRE PAPEL ALTA ALVURA
DA SUZANO S.A. PARA A EDITORA SCHWARCZ EM OUTUBRO DE 2022

A marca FSC® é a garantia de que a madeira utilizada na fabricação do papel deste livro provém de florestas que foram gerenciadas de maneira ambientalmente correta, socialmente justa e economicamente viável, além de outras fontes de origem controlada.